Durch Zufall lernt Joe, ein mit seinem Job unzufriedener Angestellter, eines Tages den charismatischen Geschäftsmann Thomas kennen. Rasch entwickelt sich eine tiefe Freundschaft zwischen den beiden Männern, Thomas wird zu Joes Mentor. Seine Unternehmen führt Thomas anhand zweier Leitlinien: Jeder Mitarbeiter muss seine Bestimmung sowie seine »Big Five for Life« kennen, also wissen, welche fünf Ziele er im Leben unbedingt erreichen will. Als Thomas sterbenskrank wird und nur noch kurze Zeit zu leben hat, unterstützt Joe ihn bei der Verwirklichung seines großen Ziels, möglichst viele Menschen an seinem Wissen und seinem Erfolgsgeheimnis teilhaben zu lassen. Das Ergebnis, die gesammelten Aufzeichnungen des Thomas Derale, liegt hier vor Ihnen.

John Strelecky lebt in Orlando, Florida. Er war 20 Jahre in der Wirtschaft tätig. Strelecky veranstaltet auch in Deutschland Seminare und Workshops, er hält Vorträge und berät führende Unternehmen. Seine Bücher wurden in mehr als 30 Sprachen übersetzt. Bei <u>dtv</u> ist sein Bestseller ›Das Café am Rande der Welt‹ erschienen.

JOHN STRELECKY

The Big Five for Life

Was wirklich zählt im Leben

Aus dem Englischen
von Bettina Lemke

Ausführliche Informationen über
unsere Autoren und Bücher
www.dtv.de

Von John Strelecky außerdem bei dtv erschienen:
Das Café am Rande der Welt
Reich und glücklich! (zus. mit Tim Brownson)
Wiedersehen im Café am Rande der Welt
Safari des Lebens
The Big Five for Life
Das Leben gestalten mit den Big Five for Life
Wenn du Orangen willst, such nicht im Blaubeerfeld
Was nützt der schönste Ausblick,
wenn du nicht aus dem Fenster schaust

MIX
Papier aus verantwor-
tungsvollen Quellen
FSC® C019821

Deutsche Erstausgabe 2009
24. Auflage 2018
© 2009 dtv Verlagsgesellschaft mbH & Co. KG, München
© 2007 John Strelecky
Published by arrangement with John Strelecky
Titel der amerikanischen Originalausgabe:
The Big Five for Life. Leadership's Greatest Secret
St. Martin's Press, New York 2008
Das Werk ist urheberrechtlich geschützt. Sämtliche, auch
auszugsweise Verwertungen bleiben vorbehalten.
Umschlagkonzept: Balk & Brumshagen
Umschlagbild: Root Leeb
Satz: Greiner & Reichel, Köln
Gesetzt aus der Fairfield light 10,25/13,75˙
Druck und Bindung: Druckerei C.H.Beck, Nördlingen
Gedruckt auf säurefreiem, chlorfrei gebleichtem Papier
Printed in Germany · ISBN 978-3-423-34528-6

Für die großartigen
Führungspersönlichkeiten in aller Welt

Vorwort

In Hunderten von Geschichtsbüchern und unzähligen Museen auf der ganzen Welt kann man etwas über Führungspersönlichkeiten erfahren. Meistens geht es darum, was einen schlechten Führer ausmacht. Wer die meisten Menschen getötet und durch Verrat und Betrug an die Spitze gekommen ist, wer die größten Tempel durch Sklavenarbeit hat erbauen lassen. Man kann anhand dieser Beispiele interessante Charakterstudien betreiben. Im Hinblick auf Mentoren bieten diese Quellen allerdings kaum nützliche Informationen.

Negative Beispiele von Menschen in Führungspositionen werden uns heute Tag für Tag im Internet, in Zeitschriften und Zeitungen sowie im Fernsehen präsentiert. So hören wir immer wieder, dass jemand Geschäftsbilanzen gefälscht und dadurch Tausende von Angestellten um ihre Altersrücklagen gebracht hat. Oder dass jemand Bestechungsgelder in Millionenhöhe angenommen und sich damit aus dem Staub gemacht hat. Oder dass Topmanager satte Millionenprämien erhalten, obwohl sie ihre selbst gesteckten Ziele nicht erreicht haben und Tausende von Menschen aufgrund ihres Verschuldens entlassen werden mussten.

An wen können wir uns daher wenden, wenn wir erfahren möchten, was eine wahre Führungspersönlichkeit ausmacht?

Wir sollten uns an den Menschen orientieren, deren Geschichte häufig nicht erzählt wird, an denen, die überall auf der Welt damit beschäftigt sind, Beeindruckendes zu leisten. Ich weiß, dass es sie gibt, denn an einem kalten, verschneiten Morgen begegnete ich auf einem Bahnsteig der großartigsten Führungspersönlichkeit. Die Unternehmen dieses Mannes erwirtschafteten riesige Gewinne. Seine Angestellten schätzten ihn über die Maßen, und wenn es nötig war, geduldeten sich seine Geschäftspartner wochenlang, um mit ihm ins Geschäft kommen zu können.

Sein Name war Thomas Derale. Er starb im Alter von nur 55 Jahren. Diese Geschichte erzählt, wer er war, welchen Führungsstil er hatte und wie er diese Welt verließ. Und sie birgt die Geheimnisse, die er mir offenbarte.

1

Ich streifte den Rucksack von meinen Schultern und stellte ihn auf den Boden. *Das ist atemberaubend*, dachte ich, als ich die Aussicht vor mir betrachtete. *Wirklich spektakulär.* Die Leute, denen ich im Zug begegnet war, hatten recht gehabt. Der Aufstieg war zwar schwierig gewesen, aber die Mühe hatte sich gelohnt. Ich zog die Wasserflasche aus der Seitentasche meines Rucksacks und trank ausgiebig.

Unterhalb von mir erstreckten sich meilenweit Berggipfel und Täler. Wo die Landschaft sich öffnete, konnte ich kleine Bauerndörfer erkennen. Dichte Wälder bedeckten die Hänge der meisten Berge. Durch einen solchen Wald war auch ich heraufgekommen. Ich hatte diese Wanderung eigentlich gar nicht vorgehabt, aber die Rucksacktouristen aus Australien, denen ich im Zug begegnet war, hatten mir so von dieser Tour vorgeschwärmt. Und nun war ich froh, dass ich auf ihren Rat gehört hatte.

Plötzlich kam mir Thomas wieder in den Sinn. *Irgendetwas Wichtiges muss bei ihm und Maggie gerade im Gange sein*, überlegte ich. *Ich habe heute schon ein Dutzend Mal an ihn gedacht. K + A < O, Stärke deine Säulen, Museumstag, Lerne von deinen Fans, Mach-mich-besser-Sitzungen... Ich muss heute Abend meine E-Mails abrufen, um nachzusehen, ob eine Nachricht von ihm da ist.*

In den letzten Jahren hatte ich festgestellt, dass es etwas zu bedeuten hatte, wenn mir jemand so häufig in den Sinn kam wie an diesem Tag Thomas. Fast immer handelte es sich um gute Neuigkeiten.

Ich genoss noch einmal die Aussicht und atmete die klare Luft tief ein. Insgesamt vier Monate sollte meine Reise durch Spanien dauern, und bislang hatte sie schon zahlreiche Momente wie diesen bereitgehalten. Ich hatte großartige Architektur, freundliche Menschen und atemberaubende Landschaften erlebt... *Genau darum geht es*, dachte ich. *Wie Thomas immer sagt, jeden Tag ein Stückchen höher auf der aufsteigenden Lebenskurve. Jeden Tag näher heran an meine Big Five for Life.*

2

Maggie Derale nahm den Anruf der Arztpraxis entgegen. Ihr Mann Thomas schlief tief und fest, was in letzter Zeit sehr selten geworden war, daher wollte sie ihn nicht aufwecken. Während sie zuhörte, musste sie sich auf die Lippen beißen, um nicht in Tränen auszubrechen. »Ja«, sagte sie, »ich verstehe... Ja, er wird morgen vorbeikommen... Nein, ich glaube, Sie können nichts weiter für uns tun.«

Sie legte den Hörer auf und setzte sich auf einen der Küchenstühle. Sie und Thomas hatten die Küche vor fast 20 Jahren während eines Urlaubs ausgesucht. Damals hatte er sich über die ausgefallenen Stuhlbezüge lustig gemacht, die sie ausgewählt hatte. Seitdem hatten sie immer wieder darüber gelacht. Als ihr diese Erinnerung durch den Kopf schoss, kamen ihr die Tränen. Zunächst kleine, zaghafte, doch dann begannen sie in Strömen zu fließen, und als Maggie die Situation allmählich immer bewusster wurde, schluchzte sie heftig.

Als sie sich wieder gefasst hatte, beschloss Maggie, dass es keine weiteren Tränen geben würde. Nicht jetzt! Sie griff zum Telefonhörer. »Hallo Kerry, hier ist Maggie... Nein, leider nicht. Es ist so, wie sie gedacht haben... Ich weiß, Kerry, ich weiß... ich auch... Kerry, ich möchte, dass du an deiner Idee weiterarbeitest. Widme dich ihr bitte mit all deiner Zeit und Energie. Ich kümmere mich um meinen Teil und bringe dir nächste Woche alles vorbei. Übrigens, Kerry… du wirst nicht sehr viel Zeit dafür haben.«

Nachdem sie aufgelegt hatte, ging sie ins Arbeitszimmer und klickte ihr E-Mail-Programm an. *Ich muss Joe erreichen*, dachte sie.

3

Ich ging in das kleine Internetcafé und setzte mich an einen Computer. Am Nachmittag war ich vom Berg hinabgestiegen und wieder in die Stadt zurückgewandert. Thomas war mir die ganze Zeit nicht aus dem Kopf gegangen. Ich hatte so oft an ihn denken müssen, dass ich meine E-Mails abrufen wollte, bevor ich wieder ins Hotel zurückkehrte oder mir etwas zum Essen besorgte. *Er muss ein paar großartige Neuigkeiten für mich haben*, dachte ich.

»Hallo Joe.«

Ich drehte mich um. »Hallo«, antwortete ich und lächelte. Es war eine Frau aus der Gruppe, die mir die heutige Bergtour empfohlen hatte. »Vielen Dank für den tollen Wandertipp«, sagte ich. »Es war klasse.«

Ich wandte mich wieder dem Monitor vor mir zu. Auf dem Bildschirm lief die Eieruhr, während der Internetbrowser geladen wurde. Das Café war voller Rucksacktouristen und sogar ein paar Einheimische waren da. *Es beeindruckt mich immer noch*, dachte ich. *Vor 15 Jahren hat das Internet noch nicht einmal existiert und jetzt kann man problemlos mit Menschen auf der ganzen Welt kommunizieren.* Ich loggte mich in meinen E-Mail-Account ein und klickte auf mein Postfach. Bestimmt würde ich eine Mail von Thomas vorfinden. Stattdessen war eine Nachricht von Maggie da, was gar nicht so ungewöhnlich war. Sie schrieb häufig E-Mails mit Neuigkeiten, die sie beide betrafen. Ich klickte die Nachricht an und wartete, während sie geladen wurde. Nach einem kurzen Moment sah ich sieben Worte, die mich erschütterten.

»Thomas ist krank, bitte ruf mich an.«

Ich griff nach dem Headset, das an einem Haken neben dem Computer hing. Während ich die Nummern für das Internettelefonat eingab, rasten die Gedanken in meinem Kopf. *Was ist da bloß los? Thomas war doch nie krank.* Ich hörte, wie es am anderen Ende der Leitung klingelte, dann vernahm ich Maggies Stimme.

»Hallo Maggie, hier ist Joe. Ich habe deine Nachricht bekommen. Was ist denn los? Wie geht es Thomas?«

»Es geht ihm nicht gut, Joe.« Maggies Stimme zitterte etwas. »Es tut mir leid, dass ich dich auf deiner Reise damit behellige, aber ich habe angenommen, dass du es wahrscheinlich wissen möchtest.«

»Was hat er denn?« Ich spürte ein beklemmendes Gefühl in der Brust, als ich auf ihre Antwort wartete.

»Thomas liegt im Sterben, Joe.«

»Wie bitte?«, fragte ich fassungslos. Ich konnte nicht glauben, was ich gerade gehört hatte.

»Er stirbt, Joe. Die Symptome traten vor drei Monaten zum ersten Mal auf. Sein Arzt hat heute angerufen und die Diagnose bestätigt. Thomas hat einen Hirntumor. Er ist sehr groß und kann daher nicht operiert werden.«

Ich versuchte zu verarbeiten, was Maggie gerade gesagt hatte. »Wie sieht es mit anderen Behandlungsformen aus? Was ist mit Bestrahlungen oder einer Chemotherapie? Es muss doch irgendetwas geben.«

Maggie sagte eine Weile lang nichts, dann antwortete sie: »Nein, wir haben uns erkundigt. Es gibt nichts, was sie tun könnten, Joe. Der Tumor ist schon zu weit fortgeschritten. Thomas wird sterben.«

Ich sprach noch einige Minuten mit Maggie, dann verabschiedeten wir uns. Ich konnte es nicht fassen. Doch nicht Thomas! Er wirkte stets kerngesund. Ich suchte mir im Internet einen Flug raus und rief die Buchungshotline der Fluggesellschaft an. Ich musste in die Vereinigten Staaten zurückkehren.

4

Ich verstaute meinen kleinen Rucksack im Handgepäckfach und setzte mich auf meinen Platz an Bord der 777. Die Nachricht über Thomas' Krankheit hatte ich immer noch nicht richtig verarbeitet. Zwar wusste ich, dass es wahr war, aber trotzdem schien das Ganze nicht real zu sein. Als ich ihn ein paar Monate zuvor getroffen hatte, war es ihm blendend gegangen. Wie war es möglich, dass er plötzlich im Sterben lag?

Ich nickte der Frau auf dem Sitz neben mir freundlich zu und schloss die Augen. Mit langsamen, kreisenden Bewegungen massierte ich mir die Schläfen.

»Fühlen Sie sich nicht wohl?«, erkundigte sich meine Sitznachbarin.

Ich öffnete die Augen und sah sie an. »Doch, mir geht es gut, danke. Ich habe nur vor Kurzem eine schlechte Nachricht erhalten. Ein Freund von mir ist sehr krank. Die Ärzte sagen, dass er sterben wird.«

»Oh«, sagte sie. Meine Antwort hatte sie überrascht. »Das tut mir leid. Ich wollte nicht aufdringlich sein.«

»Nein, das ist schon okay … Das heißt, es ist natürlich nicht okay … Seine Situation ist nicht okay«, versuchte ich zu erklären. »Ich kann im Moment gar nichts tun. Ich bin nicht einmal sicher, ob ich für ihn überhaupt etwas tun kann, aber ich fliege zurück, weil ich mit ihm sprechen möchte. Ich möchte ihn gerne – soweit möglich – unterstützen.«

Ich sah die Frau an. Sie musste etwa Ende dreißig sein. Sie hatte ein hübsches Gesicht, schulterlange braune Haare, braune Augen und klare, ebenmäßige Gesichtszüge. »Ich heiße Joe«, sagte ich und reichte ihr meine Hand. »Danke, dass Sie gefragt haben, wie es mir geht.«

»Mein Name ist Sonja«, antwortete sie und schüttelte meine Hand. »Freut mich, Sie kennenzulernen. Und: gern geschehen. Ich wollte Sie wirklich nicht stören. Wenn Sie die nächsten zwölf Stunden lieber Ihre Ruhe haben möchten und mit Ihren Gedanken allein sein wollen, verstehe ich das vollkommen.«

Ich schüttelte den Kopf. »Danke, das ist sehr rücksichtsvoll von Ihnen, aber es geht schon.«

Wir saßen eine Weile schweigend nebeneinander. »Wer ist Ihr Freund?«, fragte sie schließlich. »Möchten Sie mir etwas über ihn erzählen?«

»Er heißt Thomas. Thomas Derale. Er ist die großartigste Führungspersönlichkeit auf der ganzen Welt.« Es war etwas seltsam, einen Menschen auf diese Weise zu beschreiben, besonders wenn er ein Freund war, aber genau das kam mir in den Sinn, wenn ich an ihn dachte.

»Das ist eine ungewöhnliche Beschreibung.«

»Ich weiß. Es gibt natürlich viel mehr über Thomas zu sagen. Aber wenn ich an ihn denke, sehe ich ihn zunächst immer als Führungspersönlichkeit.«

»Wie kam es, dass Sie Freunde wurden?«

»Das ist eine lange Geschichte.«

Sie lächelte. »Wir haben einen langen Flug vor uns, Joe, und ich bin eine aufmerksame Zuhörerin.«

Ich erwiderte ihr Lächeln. »Also gut«, sagte ich und nickte. »Es begann damit, dass Thomas mir eine einfache Frage über ein Museum stellte.«

5

Um 6.47 Uhr war ich am Bahnhof angekommen. Damit hatte ich den ersten Teil des Weges hinter mich gebracht, den ich jeden Montag bis Freitag zurücklegte und der aus drei Etappen bestand. Von meiner Wohnung im Norden von Chicago ging ich zum Bahnhof, fuhr dann mit dem Zug und ging anschließend wieder zu Fuß bis zu dem Gebäude, in dem ich arbeitete. Chicago ist im Sommer eine tolle Stadt. Wenn man nur den Äquator um 800 Meilen nach Norden verschieben könnte, wäre alles perfekt. Leider war gerade Februar und die Temperatur lag bei rund minus 10 Grad. Aufgrund des eisigen Windes waren es sogar gefühlte minus 15.

Mein Tag hatte um 5.40 Uhr begonnen, als mein Wecker klingelte und einen neuen wunderbaren Tag ankündigte. Doch in Wirklichkeit versprach er gar nicht so vergnüglich zu werden, denn es war ein Arbeitstag. Auf dem Weg zur Dusche fröstelte ich. Als ich unter dem warmen Wasserschwall stand, hoffte ich, dass es aufgrund irgendeines verrückten Umstands Samstag wäre, wenn ich aus der Dusche kam, und nicht Montag. Das war mir als Kind einmal passiert. Ich war aufgestanden, hatte geduscht, mich angezogen, und als ich nach unten ging, stellte ich fest, dass Wochenende war und ich nicht zur Schule musste.

Doch an diesem Tag hatte ich nicht so viel Glück. Nach

einer Schüssel Müsli und einer Tasse Kaffee zog ich einen dunkelblauen Anzug, ein hellblaues Hemd und eine schicke Krawatte an und machte mich auf den Weg. Nach einem sehr kalten zehnminütigen Marsch stand ich am Zuggleis. Da begegnete ich Thomas. Er nickte mir freundlich zu und fragte mich: »Ist heute ein guter Museumstag?«

Ich gab ihm keine richtige Antwort. Zumindest glaube ich nicht, dass ich es tat. Die meisten Fremden unterhalten sich nicht groß miteinander, wenn sie an einem Bahnsteig stehen, schon gar nicht bei einer gefühlten Temperatur von minus 15 Grad. Daher überraschte mich Thomas' Frage. Ich glaube, ich murmelte irgendetwas oder gab ein scharfsinniges »Hm, hm« von mir und setzte dann ein Lächeln auf, in das man sich schnell flüchtet, wenn man von jemandem angesprochen wird, aber gar nicht so recht weiß, was er eigentlich will.

Als der Zug einfuhr, stiegen wir beide ein. Wir standen im Abteil allerdings nicht auf der gleichen Seite, daher endete unsere Unterhaltung mit meinem tiefschürfenden »Hm, hm«, das ich am Gleis von mir gegeben hatte.

Doch Thomas hatte irgendetwas an sich, und so musste ich den ganzen Tag über seine Worte nachdenken. Er hatte einen langen Wollmantel und Handschuhe getragen, aber keinen Hut. Sein Haar war relativ kurz geschnitten und verlieh ihm ein sehr geschäftsmännisches Aussehen. Außerdem hatte er eine starke Ausstrahlung. Es gibt Menschen, die einen ganzen Raum mit ihrer Präsenz einnehmen, wenn sie ihn betreten. Thomas gehörte zu diesen Menschen. Selbst um 6.47 Uhr auf einem Bahnhofsgleis voller fremder Leute an einem Wintertag in Chicago.

6

Sonja sah mich an. »Wie ging es mit diesem Thomas weiter?«

»Ich habe die ganze restliche Woche nach ihm Ausschau gehalten. Seine Frage ließ mir keine Ruhe. Was zum Teufel sollte ein guter Museumstag sein? Aber der Kerl tauchte nicht auf.

Nach einem Wochenende mit zwei sehr lauten Partys, vielen Grey-Goose-Martinis und einem heftigen Kater am Sonntag hatte ich seine Frage so ziemlich vergessen. Bis ich am Montagmorgen die Treppe zum Bahnsteig hinaufging und ihn dort stehen sah. Wie ein Leuchtturm hob er sich von der Menge ab. Es lag allerdings nicht an seiner Kleidung, und sein Aktenkoffer hätte genauso gut einem anderen gehören können. Nein, das war es nicht. Der Kerl hatte einfach eine besondere Ausstrahlung.«

Ich ging auf ihn zu und streckte ihm meine Hand entgegen. »Guten Morgen, ich heiße Joe.«

Er gab mir die Hand. »Guten Morgen, Joe. Mein Name ist Thomas.«

»Es klingt vielleicht etwas seltsam, Thomas, aber letzte Woche, um genau zu sein, am letzten Montag, haben Sie mich da etwas über ein Museum gefragt?«

Er schmunzelte. »Das stimmt. Ich habe Sie gefragt, ob es ein guter Museumstag sei.«

Ich nickte. »Ich muss zugeben, dass ich nach wie vor keine Ahnung habe, wie Sie das meinten. Aber trotzdem ist mir Ihre Frage die letzten sieben Tage ständig im Kopf herumgegangen. Na ja, zumindest an fünf von den sieben Tagen. Die letzten zwei Tage kreisten eher ein paar Martinis in meinem Kopf herum. Was meinten Sie denn nun mit dem Museumstag?«

Thomas lächelte wieder. »Die Geschichte ist etwas ungewöhnlich, Joe. Sind Sie sicher, dass sie Sie interessiert?«

»Ganz sicher«, antwortete ich, als unser Zug auf dem Gleis einfuhr und die Türen sich öffneten.

Ich sah Sonja an. »Aus irgendeinem Grund war ich wirklich sehr neugierig. Es war äußerst seltsam. Jeden Tag begegnete ich bei meiner Arbeit und privat einer Menge Leute, und meistens waren die Gespräche nicht sehr spannend. Häufig tat ich nur so, als würde mich etwas interessieren, aber dieses Mal war es wirklich so.

Ich fuhr an diesem Tag mit einem früheren Zug zur Arbeit, weil er weniger voll war als die späteren Züge. Wenn man sich 30 Minuten lang mit lauter fremden Menschen in einen kleinen Container hineinzwängen muss, fängt der Tag schon verkehrt an.

An diesem Morgen waren etwas weniger Menschen in dem Zug als sonst, sodass Thomas und ich uns sogar nebeneinandersetzen konnten. Er begann unser Gespräch mit einer Frage.«

»Joe, wissen Sie, wie lange die meisten Menschen leben?«

Ich zuckte mit den Achseln. »Keine Ahnung, vielleicht 70 Jahre oder 80«, antwortete ich.

»Sie sind nah dran«, sagte er. »Im Durchschnitt leben die Menschen in den USA ungefähr 28 200 Tage beziehungsweise rund 77 Jahre. Manchmal sind es mehr und manchmal sind es weniger, aber statistisch gesehen sind es circa 28 200 Tage.«

Seine Antwort überraschte mich. »Ich habe noch nie über die Anzahl der Tage nachgedacht«, sagte ich. »Aus irgendeinem Grund kommt es mir so kürzer vor, als wenn man an die Jahre denkt.«

»Ja, so ist es«, sagte Thomas. »Es wirkt realer.«

»Gut«, sagte ich, »ein Leben dauert also im Durchschnitt 28 200 Tage. Was hat das mit einem Museumstag zu tun?«

»Waren Sie schon einmal in einem Museum, Joe? Sind Sie je durch die Säle geschlendert und haben sich alte Fotos angesehen? Aufnahmen von Menschen bei der Arbeit oder in einer Militäruniform, vielleicht einige Familienfotos oder witzige Schnappschüsse mit Freunden?«

Ich nickte. »Natürlich.«

»Als ich einmal eine Konferenz in Orlando in Florida besuchte, fuhr ich ein bisschen herum und entdeckte ein kleines historisches Museum in einem Ort namens Winter Garden. Das ganze Museum hatte wahrscheinlich nicht mehr als 100 Quadratmeter, aber es war voller Bilder von Leuten, die etwas mit der Stadt zu tun hatten. Außerdem konnte man zahlreiche Geschichten über diese Menschen nachlesen und die Ereignisse, die sich in den letzten 150 Jahren in der Stadt zugetragen hatten. Als ich durch das Museum schlenderte, schoss mir plötzlich ein Gedanke durch den Kopf. Was wäre, wenn jeder Tag unseres Lebens katalogisiert würde? Unsere Gefühle, die Menschen, mit denen wir zu tun haben, die Dinge, mit denen wir unsere Zeit verbringen? Und wenn am Ende unseres Lebens ein Museum errichtet würde, in dem genau zu sehen wäre, wie wir unser Leben verbracht haben?«

Ich sah Thomas fragend an.

»Stellen Sie sich einmal Folgendes vor, Joe: Wenn wir 80 Prozent unserer Zeit mit einem Job verbrächten, der uns nicht gefällt, dann wären auch 80 Prozent des Museums genau damit gefüllt. Man würde Bilder und Zitate sowie kurze Videofilme sehen, die Szenen verschiedener unglücklicher Momente zeigen. Wenn wir zu 90 Prozent der Menschen, mit denen wir zu tun haben, freundlich wären, würde man genau das in dem Museum zeigen. Aber wenn wir ständig wütend und ungehalten wären oder 90 Prozent der Menschen in unserem Umfeld anschreien würden, könnte man auch das sehen. Alles wäre mit Fotos, kurzen Videoclips und Hörbeiträgen dokumentiert.

Wenn wir gerne in der Natur unterwegs wären, am liebsten viel Zeit mit unseren Kindern oder Freunden verbrächten, wenn wir das Leben gerne mit unserem Partner genießen würden, aber all dem nur zwei Prozent unseres Lebens widmen würden, dann wären auch nur zwei Prozent unseres Museums damit gefüllt – so sehr wir uns auch etwas anderes wünschen würden. Wahrscheinlich gäbe es dazu nur ein paar eingerahmte Bilder am Ende eines langen Flurs zu sehen.

Stellen Sie sich vor, wie es wäre, am Ende unseres Lebens durch das Museum zu gehen. Die Videos zu sehen, die Tondokumente zu hören und die Bilder zu betrachten. Wie würden wir uns dabei fühlen? Wie würden wir uns fühlen, wenn wir wüssten, dass uns das Museum für immer und ewig so zeigen würde, wie man sich an uns erinnert? Alle Besucher würden uns genau so kennenlernen, wie wir tatsächlich waren. Die Erinnerung an uns würde nicht auf dem Leben basieren, das wir uns eigentlich erträumt hatten, sondern darauf, wie wir tatsächlich gelebt haben.

Stellen Sie sich vor, der Himmel oder das Jenseits oder wie auch immer wir uns das Leben nach dem Tod vorstellen, sähe so aus, dass wir auf ewig als Führer in unserem eigenen Museum unterwegs wären.« Thomas machte eine kurze Pause. »Daher habe ich Sie letzten Montag gefragt, ob es sich um einen guten Museumstag handelte.«

7

Ich sah Sonja an. »Ich weiß nicht genau, was ich erwartete, als ich Thomas auf den Museumstag ansprach, aber jedenfalls nichts von dem, was er mir darüber erzählte.«

Sonja sah beeindruckt aus. »Das eigene Leben aus dieser vollkommen anderen Perspektive zu betrachten, ist eine faszinierende Vorstellung. Wie haben Sie reagiert?«

»Ach, ich glaube, ich habe etwas Schlaues und Schlagfertiges gesagt, wahrscheinlich so was wie ›aha‹ oder ›so, so‹.«

Sonja lachte wieder. »Nein, das haben Sie bestimmt nicht gesagt.«

»Doch, da bin ich mir sogar ziemlich sicher. Sie müssen bedenken, dass ich diesen Mann ja gar nicht kannte. Damals dachte ich: ›Wer stellt einem Fremden eine solche Frage und führt dann ein solches Gespräch mit ihm?‹«

»Was haben Sie also getan?«

»Ich habe ihn ziemlich genau das gefragt.«

»Und?«

»Er sah mir geradewegs in die Augen und sagte: ›Ich tue so etwas.‹ Mittlerweile bin ich so gut mit Thomas befreundet, dass mir das gar nicht mehr seltsam vorkommt. Sobald man ihn näher kennenlernt, begreift man, dass er keine Angst davor hat, ein tiefgründiges Gespräch in Situationen anzufangen, in denen die meisten Menschen es nicht tun würden. Er ist der Meinung, dass 28 200 Tage zu kurz sind, um sie mit Small-talk zu verbringen. Aber damals hat es mich sehr irritiert.«

»Was geschah als Nächstes?«

»Ich riss mich zusammen und fragte ihn, warum er Menschen die Museumsfrage stellte. Er meinte, dass er gerne interessante Leute kennenlerne und festgestellt habe, dass die Museumsfrage ein geeignetes Mittel dazu sei. Daraufhin fragte ich ihn, ob er jedem, dem er begegne, diese Frage stelle. Das tue er nur manchmal, meinte er. Dabei verlasse er sich ganz auf sein Gefühl. Und mit seiner nächsten Bemerkung begann unsere Freundschaft.«

»Was hat er gesagt?«

»Ich fragte ihn, ob die Tatsache, dass er mir die Museumsfrage gestellt hatte, bedeute, dass ich interessant auf ihn wirkte. Da sah er mich an und sagte: ›Ich beginne, an meinem Gefühl zu zweifeln.‹ Er sagte es, ohne eine Miene zu verziehen, daher dachte ich zunächst, er meine es ernst. Doch dann fing er an zu lachen, und ich lachte mit. Das war der Beginn unserer wunderbaren Freundschaft.«

Sonja schmunzelte. »Hat er Ihnen je erklärt, warum er Sie ausgewählt hat?«

Ich nickte. »Jahre später habe ich ihn das gefragt. Er sagte, dass er in mir – und auch in manchen anderen – etwas gesehen habe, das er in jüngeren Jahren jeden Morgen auch bei sich selbst bemerkt hatte. Ein unglaubliches Gefühl der Hoffnung und ein enormes Potenzial, überlagert von einer stillen Verzweiflung.«

Sonja schüttelte voller Bewunderung den Kopf. »Beeindruckend! Dieser Mensch scheint ziemlich außergewöhnlich zu sein.«

»Ja, das ist er. Daher habe ich vorhin gesagt, dass er für mich die größte Führungspersönlichkeit ist.«

»Ich dachte, Sie sagten, er sei Ihr Freund. ›Führungspersönlichkeit‹ klingt eher danach, als sei er Ihr Chef. Arbeiten Sie für ihn?«

»Nein. Das gehört zu den Dingen, die ihn zu einem so großartigen Führer machen. Jeder in seinen Unternehmen weiß über die Reise Bescheid, auf der sich das jeweilige Unternehmen befindet, und alle nehmen zusammen daran teil. Man arbeitet nicht *für* Thomas, man arbeitet *mit* ihm.«

»Meinen Sie das ernst?«

»Ja, das meine ich vollkommen ernst. Thomas hat eine Unternehmenskultur geschaffen, bei der man entweder dazugehört oder eben nicht. Wenn man dazugehört, nimmt man an der gemeinsamen Reise teil. Die Menschen haben unterschiedliche Rollen und erhalten unterschiedliche Gehälter, aber es gibt keine klassische Trennung zwischen Chefs und Untergebenen. Wie gesagt, entweder gehört man dazu oder eben nicht.«

»Und das funktioniert?«

»In seinen Unternehmen funktioniert es. Er hat mit ihnen große Gewinne erwirtschaftet, ebenso wie die Leute, die mit ihm zusammenarbeiten.«

Sonja zog überrascht die Augenbrauen hoch. »Hm. Gut, zurück zu meiner vorigen Frage: Da Sie nicht *für* ihn arbeiten, arbeiten Sie also *mit* ihm?«

»Ja, das tue ich. Jedes Jahr ein paar Mal. Ich habe einen sehr flexiblen Terminkalender. Und eins sollten Sie auch noch wissen: Mit Thomas zusammenzuarbeiten ist eigentlich gar keine Arbeit.«

»Wie bitte? Sie arbeiten nicht?« Sie lächelte. »Kein Wunder, dass die Menschen ihn für einen großartigen Chef halten.«

»Nein, so meine ich es nicht.«

»Aber Sie haben doch gerade gesagt …«

»Ich weiß. Es klingt kompliziert, aber eigentlich ist es ziemlich einfach. Es gehört ebenfalls zu den Dingen, die Thomas zu einem so großartigen Chef machen. Sein Führungsstil basiert auf ganz einfachen Prinzipien.«

8

Ich lächelte. »Ich habe eine Idee. Vielleicht möchten Sie Thomas ja gerne kennenlernen?«

Sonja neigte ihren Kopf zur Seite und zog eine Augenbraue hoch. »Wann?«

»Jetzt gleich.« Ich nahm aus der Tasche am Sitz vor mir meinen iPod heraus. »Ich zeige Ihnen etwas, das Thomas vor langer Zeit zusammengestellt hat. Wir haben es erst vor Kurzem bearbeitet, damit man es herunterladen kann«, erklärte ich, während ich die Dateien hinunterscrollte, um die richtige zu finden.

Ich reichte Sonja den Kopfhörer. »Was bekomme ich denn zu hören?«, fragte sie.

»Sie werden sogar etwas sehen«, antwortete ich. »Als Thomas sein erstes Unternehmen gründete, schrieb er seine Konzepte zur Mitarbeiterführung und zur Gründung eines erfolgreichen Unternehmens auf. Im Laufe der Jahre wurde daraus ein Video.«

»Klasse«, sagte Sonja.

Ich lächelte. »Warten Sie ab, bis Sie es gesehen haben.«

Ich drückte auf »Play« und kurz darauf erschien Thomas auf dem kleinen Bildschirm. Er lächelte, und obwohl Sonja den Kopfhörer aufhatte, konnte ich seine Stimme leise hören.

»Hallo, mein Name ist Thomas Derale. Es freut mich sehr, dass Sie sich die Zeit nehmen, dieses Video anzuschauen. Ich hoffe, dass ich Sie mit dem, was ich Ihnen mitteilen möchte, ein bisschen inspirieren kann. In meinem Leben hat das folgende Prinzip eine sehr wichtige Rolle gespielt, seitdem ich es vor vielen Jahren erkannt habe.«

Thomas machte eine Pause.

»Bevor ich mein erstes Unternehmen gründete, habe ich lange darüber nachgedacht, wie es denn aussehen sollte und wie ich als Unternehmensleiter sein wollte. Außerdem habe ich mir viele Gedanken darüber gemacht, wie ich meine Führungsphilosophie so knapp auf den Punkt bringen könnte, dass andere sie mühelos nachvollziehen könnten. Als ich eines Abends zu Hause in meinem Büro saß und die Fotos an der Wand betrachtete, kam mir die zündende Idee. Seit meiner Kindheit war ich ein Reisender. Als ich noch recht klein war, schnappte ich mir gerne mein Fahrrad und fuhr damit an Orte, an denen ich noch nie gewesen war. Ich durchstreifte auch gerne den Wald in der Nähe unseres Hauses, erkundete Pfade oder ein Flussbett, sammelte Kaulquappen… Ich dachte nie viel darüber nach, warum ich diese Dinge tat. Sie machten mir einfach Spaß. Daher ging ich ihnen nach, wann immer es möglich war.

Als ich älter wurde, träumte ich davon, die Welt zu sehen. Ich hatte diesen Traum zwar eine Weile lang begraben, doch schließlich entdeckte ich ihn wieder. Mittlerweile bin ich in viele Gegenden auf dem ganzen Erdball gereist.

Als ich an jenem Tag die Bilder an der Wand betrachtete – es waren Fotos von meiner Frau und mir an verschiedenen Orten der Welt – und über meine Kindheitsabenteuer nachdachte, erkannte ich, dass ich das Leben stets als Reise gesehen habe. Ob es uns gefällt oder nicht, vom Tag unserer Geburt an, bis zum Tag, an dem wir sterben, führt unser Leben immer *irgendwohin*, und die ganze Zeit über tun wir *irgendetwas*.

Ein Freund von mir besitzt ein kleines Café an einem Ort, den er als den ›Rand der Welt‹ bezeichnet. Und er erklärte mir eines Tages, wie wichtig es für uns ist, unseren eigenen Zweck der Existenz, den ZDE, wie er es nennt, zu finden. Es ist unsere Antwort auf die Frage, warum wir hier sind, warum wir geboren wurden… warum wir existieren. Es war ein beeindruckendes Erlebnis für mich, das ich nie vergessen habe. Mir gefiel die Vorstellung, dass es für jeden einzelnen Menschen einen Grund dafür gibt, am Leben zu sein, dass die Existenz jedes Menschen einen bestimmten Sinn hat.

Und als ich über meine Führungsphilosophie nachdachte und über meine Überzeugung, dass das Leben eine Reise ist, bei der wir die Möglichkeit haben, unseren persönlichen Zweck der Existenz zu erfüllen, wurde mir auf einmal alles klar. Nicht nur jeder Mensch hat seinen eigenen ZDE, das gilt auch für jedes Unternehmen. Egal ob dieser ZDE klar definiert ist oder nicht, es gibt in jedem Fall einen Grund, warum ein Unternehmen existiert.

Anstatt also am Wochenende und in meiner übrigen Freizeit zu versuchen, meinen persönlichen Zweck der Existenz zu erfüllen, und während der langen Arbeitswoche einen völlig anderen ZDE zu verfolgen, könnte ich doch ein Unternehmen gründen und leiten, bei dem der Firmen-ZDE und mein persönlicher ZDE aufeinander abgestimmt wären.

Wenn mein ZDE sich an einem Punkt am Horizont befand, den ich in meinem Leben erreichen wollte – dem Ziel meiner Reise –, dann war es nur eine logische Konsequenz, ein Unternehmen zu gründen, dessen ZDE sich an demselben Punkt am Horizont befand. Oder zumindest in der gleichen Richtung lag.

Wenn ich es so einrichten könnte, dachte ich mir, dann würde ich meine Arbeitszeit mehr genießen. Es würde nicht länger regelmäßig zu Konflikten zwischen meinen Arbeits- und Lebenszielen kommen. Sie würden miteinander harmonieren.

Während der Arbeit würde ich meinen persönlichen ZDE genauso erfüllen können wie in meiner Freizeit.

Ich hatte bisher beruflich schon recht großen Erfolg gehabt, und das, obwohl meine Arbeits- und Lebensziele nicht aufeinander abgestimmt waren. Da war es doch nur logisch, dass ich noch viel erfolgreicher arbeiten würde, wenn sie miteinander harmonierten.«

Thomas machte eine Pause.

»Ich traf noch eine weitere Entscheidung, und zwar in Bezug darauf, wen ich in mein Unternehmen aufnehmen wollte. Es sollten Menschen sein, die nicht nur intelligent und kompetent, sondern auch motiviert waren. Sie sollten die größtmögliche innere Motivation mitbringen. Seitdem stelle ich nur noch Menschen ein, deren persönlicher Zweck der Existenz mit dem ZDE des Unternehmens harmoniert, für das sie arbeiten wollen.

Diese eine Entscheidung hat mir, mehr als jede andere in meiner gesamten Zeit als Unternehmer, außerordentlichen Erfolg beschert. In meinen Unternehmen gibt es keine Menschen, die *für* mich arbeiten. Wir arbeiten alle zusammen auf ein gemeinsames Ziel hin. Wir sind Reisegefährten, die sich gegenseitig helfen, einen ähnlichen Punkt am Horizont zu erreichen. Wenn ich erfolgreich bin, dann profitieren auch die anderen davon. Wenn sie Erfolg haben, dann kommt es auch mir zugute.

Man kann ein Unternehmen auf zweierlei Arten gründen und leiten. Man kann beispielsweise mit einem bewährten Geschäftsmodell beginnen und es mit entsprechenden Mitteln und Sonderzulagen ausstatten, sodass Menschen bereit sind, für das Unternehmen zu arbeiten. Wenn man das tut, kann man erfolgreich sein. Die meisten Unternehmen werden auf diese Weise gegründet und geführt.

Aber wenn man besonders erfolgreich sein will, muss man genau andersherum vorgehen. Man beginnt mit dem ultimativen Jobanreiz: Man bietet Menschen die Möglichkeit, ihr Geld mit einer Tätigkeit zu verdienen, die sie erfüllt und die für sie wirklich sinnvoll ist, weil sie mit ihrem persönlichen Zweck der Existenz zusammenhängt. Erst danach macht man sich die erfolgreichsten Geschäftsmodelle zunutze.«

9

Ich drückte einen Knopf auf dem iPod, sodass Bild und Ton unterbrochen wurden.

Sonja nahm einen großen Schluck Wasser aus der Flasche, die vor ihr stand. Ich sah zu ihr hinüber. »Entschuldigen Sie, Sonja. Langweile ich Sie?«

Sie lächelte. »Nein, es ist überhaupt nicht langweilig… im Gegenteil, es ist faszinierend. Sie bringen mich wirklich zum Nachdenken. Ich komme gerade von einem Kongress für Führungskräfte in Barcelona, zu dem mich meine Firma geschickt hat. Barcelona war beeindruckend, aber ich glaube, was ich in der letzten Stunde erfahren habe, ist nützlicher als alles, was ich in den drei Tagen während des Kongresses gelernt habe.«

Sonja nahm den Kopfhörer ab und gab mir meinen iPod zurück. »Woher hat Thomas diese Ideen?«

»Zu den einfachen Sachen, die Thomas zu einem großartigen Chef machen, gehört auch, dass er stets bereit ist, dazuzulernen. Wenn er in einem anderen Unternehmen etwas sieht, das ihm gefällt, setzt er es in seinen eigenen Firmen um. Viele tolle Dinge, die er verwirklicht hat, beruhen auf seinen eigenen Ideen. Vieles hat er sich aber auch woanders abgeschaut. Es war zum Beispiel Thomas' Idee, dass er und die Menschen, die er in seinen Unternehmen beschäftigt, ihre

Zeit nur mit Tätigkeiten verbringen sollten, die ihren Zweck der Existenz und ihre Big Five for Life erfüllen …«

Sonja unterbrach mich. »Was sind die Big Five for Life?«

»Ach ja richtig, Entschuldigung. Das ist eine Ergänzung, die zu Thomas' Philosophie über den Zweck der Existenz gehört. Behalten Sie die Big Five for Life für ein paar Minuten im Hinterkopf, dann erzähle ich Ihnen die ganze Geschichte gleich im Zusammenhang, wenn Sie möchten.«

»Einverstanden.«

»Wie gesagt, Thomas wollte erreichen, dass er und seine Mitarbeiter die Arbeitszeit nur mit Tätigkeiten verbrachten, die sie erfüllten. Die Frage war, wie er das zu einem Teil der Unternehmenskultur machen konnte.«

»Und?«

»Und einen Teil der Lösung entdeckte er bei Disney World. Er besuchte eine Freundin, die dort arbeitet. Sie hatte ihm erzählt, dass sie dort alle als ›Cast Members‹ bezeichnet werden. Da Disney in der Unterhaltungsbranche tätig ist, wird jeder, der von dem Unternehmen bezahlt wird, als Teil der Show angesehen. Alle haben jederzeit die Möglichkeit, die Erlebnisse und Eindrücke der Besucher mitzugestalten. Folgende Beobachtung, die Thomas gemacht hat, ist beispielsweise typisch:

Ein Mitarbeiter des Unternehmens geht zufällig an einem Besucher vorbei, der gerade ein Foto macht. Wenn es sich um einen ›Angestellten‹ handeln würde, der dafür bezahlt würde, die Buchhaltung oder andere administrative Aufgaben zu erledigen oder die Mülleimer auszuleeren oder die Finanzabteilung zu leiten, würde er wahrscheinlich einfach weitergehen. Aber da bei Disney jeder ein Cast Member und somit ein Teil der Show ist, egal, womit er den größten Teil seiner Arbeitszeit verbringt, wird von ihm erwartet, dass er den Gast fragt, ob er selbst mit auf dem Foto sein möchte, und dann schießt der Mitarbeiter das Foto.«

Sonja nickte. »Das klingt interessant.«

»Ja, es ist interessant und zudem ein sehr effektiver Ansatz. Also übernahm Thomas dieses Prinzip. Das Bild einer Reise verwendete er, damit seine Leute sich eine genaue Vorstellung davon machen können, was es bedeutet, ein Mitglied eines seiner Unternehmen zu sein. Und er bezeichnete niemanden als Angestellten. Da sich die Leute auf einer gemeinsamen Reise befinden, liegt es auf der Hand, dass sie sich selbst nicht als Angestellte, sondern als Reisegefährten sehen.«

Sonja nickte erneut. »Hat es denn funktioniert? Wenn ich an einige Skeptiker in meiner Firma denke, könnte ich mir vorstellen, dass sie diesen Ansatz blöd oder albern fänden.«

»Ja, es hat wirklich funktioniert. Und es funktioniert immer noch. Worte haben eine sehr mächtige Wirkung. Entweder sie unterstützen oder sie behindern uns. Eins von Thomas' Lieblingszitaten stammt von einer Romanfigur und lautet: ›Wenn wir die gleichen Worte oft genug wiederholen, glaubt unser Verstand irgendwann daran, dass sie wahr sind.‹ Deshalb ist Thomas auch der Meinung, dass man lieber etwas Positives sagen sollte als etwas Durchschnittliches oder gar Negatives.

Ich kenne niemanden, der richtig positiv auf den Begriff *Angestellter* reagiert. Bestenfalls erzeugt er eine durchschnittliche emotionale Reaktion. Aber ein Reisender, der unterwegs ist? Das ist für die Menschen etwas Positives und sie möchten gerne dazugehören.

Außerdem war es ein gutes Auswahlkriterium für Thomas. Menschen, denen die Vorstellung, ein Reisender und kein Angestellter zu sein, albern vorkommt, ist es egal, ob sie ihre Zeit mit einer Tätigkeit verbringen, die sie nicht erfüllt. Thomas möchte solche Leute nicht in seinen Unternehmen haben. Es ist schlecht für die Arbeitsmoral und schlecht für die Produktivität.«

Sonja sah mich erstaunt an. »Für die Produktivität? Für jemanden, der so viel Wert auf die soziale Kompetenz, auf die weicheren Faktoren zu legen scheint, ist das aber ein sehr profitorientierter Begriff.«

»Sprachen Sie eben von den ›weicheren Faktoren‹?«

Sonja zögerte. »Ja…«

Ich nickte schmunzelnd. »Okay…«

»Wieso?«, fragte Sonja. »So nennt man es doch. Sie wissen schon, die Soft Skills, die soziale Kompetenz.«

»Wer ist ›man‹?«

»Ich weiß nicht…«, sagte sie lachend. »Sie wissen schon, was ich meine…«

Ich beugte mich zu Sonja hinüber. »Soll ich Ihnen ein Geheimnis verraten?«

»Gerne.«

»All die harten Profite haben mit Sozialkompetenz zu tun. Und dabei handelt es sich definitiv nicht um weiche Faktoren. Das werde ich Ihnen beweisen.«

Okay, beweisen Sie es mir«, sagte Sonja.

»Möchten Sie eine Statistik hören oder lieber Beispiele?«

»Beides wäre toll.«

»Gut, dann bekommen Sie beides. Zuvor möchte ich Ihnen aber Thomas' Konzept zur Gewinnmaximierung erklären. Der Gewinn sollte das Hauptaugenmerk jedes Unternehmens sein.«

»Wie bitte?«

»Er sollte das Hauptaugenmerk jedes Unternehmens sein.«

»Steht das nicht im Widerspruch dazu, dass die Menschen im Job ihre Erfüllung finden sollen?«

»Keineswegs. Ohne Gewinne kann ein Unternehmen nicht funktionieren. Wenn das Unternehmen nicht funktioniert, können die Leute nicht entlohnt werden. Und dann werden die Menschen nicht lange bei dem Unternehmen bleiben können, egal, wie erfüllt sie dort auch sein mögen. Sehr bald werden keine Menschen mehr da sein. Und dann wird es keine Produkte, also auch keine Kunden und kein Unternehmen mehr geben. Jeder verliert in dieser Situation. Aber wenn das Unternehmen stets rentabel wirtschaftet, können die Menschen dafür bezahlt werden, dass sie erfüllende Tätigkeiten verrichten, die Kunden sind glücklich und jeder hat was davon.«

»Hm«, kommentierte Sonja.

»Lassen Sie mich das genauer erklären«, sagte ich. »Wenn das Hauptaugenmerk auf der Gewinnmaximierung liegt, dann lautet die wichtigste Frage, wie man das erreicht. In seinem Video erläutert Thomas, was er diesbezüglich herausgefunden hat. Man bringt Menschen, die sich auf einer Reise zu ihrem eigenen Zweck der Existenz befinden, mit einem Unternehmen zusammen, das einen ähnlichen ZDE hat. Die Menschen nehmen Positionen ein, in denen sie nicht nur für ihre Arbeit bezahlt werden, sondern auch noch Erfüllung finden. Dann kombiniert man damit ein bewährtes Geschäftsmodell. Beispiele dafür findet man allenthalben. Jede Branche nutzt erfolgreiche Modelle, die sich bereits bestens bewährt haben.«

Sonja nickte zustimmend. »Das klingt in der Tat sehr effizient.«

»Das ist es, und Effizienz bedeutet Gewinn. Sie wollten doch Zahlen haben, nicht wahr?«

»Ja, gerne.«

»Haben Sie vielleicht ein Blatt Papier und einen Stift?«

Sonja zog ihre Handtasche hervor und reichte mir eine Seite aus ihrem Notizbuch und einen Kugelschreiber, an dessen Ende sich ein eigenartig aussehender Papagei befand.

Ich betrachtete den Stift und schmunzelte. »Was haben wir denn da?«

Sie schmunzelte ebenfalls. »Ich weiß, es sieht etwas albern aus. Aber immer wenn ich ihn ansehe, muss ich lachen.«

»Der Stift gefällt mir. Gut, Sie wollten Statistiken und Beispiele. Es gibt zwei wesentliche Faktoren, die mit Mitarbeitern zu tun haben und sich erheblich auf den Gewinn auswirken. Der erste ist die Produktivität. Hier lautet die Frage: Wie effizient sind die Mitarbeiter? Der zweite ist die Fluktuation. Wie oft kündigen die Leute und wie oft müssen Stellen daher neu besetzt werden? Über welchen der beiden Punkte möchten Sie zuerst sprechen?«

»Was macht größeren Spaß?«

»Beides ist sehr unterhaltsam.«

Sonja lachte. »Dann lassen Sie uns mit der Produktivität beginnen und die Fluktuation ist die Zugabe.«

»In Ordnung. Damit die Rechnung einfach bleibt, nehmen wir an, wir haben 1 000 Leute in unserem Unternehmen beschäftigt. Unser Nettogewinn im Jahr – Einnahmen minus Ausgaben – beträgt 200 Millionen Dollar. Umgerechnet erwirtschaftet jede Person im Durchschnitt 200 000 Dollar Gewinn pro Jahr. So weit, so klar?«

»Ja. Obwohl ich nicht der Meinung bin, dass jeder in einem Unternehmen einen gleich großen Einfluss auf die Gewinne hat.«

»Da stimme ich Ihnen zu. Der Verantwortungsbereich mancher Leute nimmt unmittelbarer Einfluss auf die Gewinne. Aber wenn alle als ein Team auf einer gemeinsamen Reise zusammenarbeiten und eins der gemeinsamen Ziele des Teams darin besteht, den Gewinn des Unternehmens zu maximieren, dann ist tatsächlich jeder mit dafür verantwortlich.«

Sonja nickte zustimmend. »Da haben Sie recht.«

»Gut. Lassen Sie uns also über die Produktivität sprechen. Wie produktiv ist der Durchschnittsmensch Ihrer Meinung nach bei der Arbeit?«

»Sie möchten wissen, wie produktiv er ist?«

»Genau. Wenn Sie sich eine Skala von 1 bis 100 vorstellen, wie nah ist er dran, sich vollkommen zu engagieren, vollkommen effizient zu arbeiten, sich vollkommen der Tätigkeit zu widmen, für die er bezahlt wird? Oder andersherum gefragt, wie viel Zeit verschwendet er und wie viel Zeit verwendet er darauf, dem Unternehmen dabei zu helfen, seinen Zweck der Existenz zu erfüllen? Warten Sie, ich mache es Ihnen etwas leichter: Sehen Sie sich die folgenden fünf Fragen zur Produktivität an und schreiben Sie Ihre Antworten dazu auf. Jede davon zählt gleich viel.«

Ich schrieb die Fragen auf das Blatt Papier, das Sonja mir gegeben hatte.

Produktivitätsfrage	Bewertungsskala: 1–10 (1 = niedrige Produktivität; 10 = hohe Produktivität)
Die Mitarbeiter sind begeistert, wenn sie montagmorgens an ihren Arbeitsplatz kommen.	
Die Mitarbeiter erledigen ihre Aufgaben, ohne von jemandem kontrolliert zu werden. Sie versuchen nicht, etwas anderes zu tun als das, was sie tun sollen (sie führen zum Beispiel keine ausführlichen Privatgespräche, machen keine übermäßig langen Mittagspausen,	

unternehmen keine ausgedehnten Spaziergänge im Firmengebäude …).	
Die Mitarbeiter kennen den ZDE des Unternehmens (beziehungsweise ihrer Abteilung oder ihres Unternehmenszweigs – je nachdem, welche Position sie innehaben).	
Die Mitarbeiter wissen, auf welche Weise ihre Tätigkeit dazu beiträgt, den ZDE des Unternehmens zu erfüllen.	
Die Mitarbeiter erfüllen ihren eigenen ZDE mit der Tätigkeit, für die sie bezahlt werden. (Wenn Sie der Meinung sind, dass die Menschen ihren eigenen ZDE nicht kennen, vergeben Sie bei dieser Antwort einen Punkt.)	
Gesamtpunktzahl	

»So«, sagte ich und reichte Sonja das Blatt, »nun können Sie die Tabelle ausfüllen. Ein Punkt ist das untere Ende der Skala und zehn ist die Höchstpunktzahl. Bei der ersten Frage, ob die Menschen begeistert sind, wenn sie am Montagmorgen an ihren Arbeitsplatz kommen, würde ein Punkt bedeuten, dass sie überhaupt nicht begeistert sind. Zehn Punkte würden darauf hinweisen, dass sie extrem motiviert sind. Am Ende zählen Sie alle Punkte zusammen und multiplizieren sie mit zwei. So erhalten wir eine Einschätzung der Produktivität auf einer Skala von 1 bis 100.«

Ich wartete eine Weile, bis Sonja ihre Antworten notiert hatte. »Na, wie sieht Ihr Ergebnis aus?«

Sie fuhr mit dem Finger an den Einträgen auf dem Blatt entlang. »Ich habe sechs Punkte bei der ersten Frage, sieben bei der zweiten, sieben bei der dritten, acht bei der vierten und sechs bei der fünften. Wenn ich sie zusammenzähle und mit zwei multipliziere…«, sie sah mich an, »dann erhalte ich 68; ist das richtig so?«

»Perfekt. Aber eigentlich gibt es hier keine richtigen oder falschen Antworten. Es geht lediglich um Ihre Einschätzung, welche Zahl für das Unternehmen zutrifft, in dem Sie arbeiten, beziehungsweise in unserem Beispiel geht es um den Durchschnittsmenschen in einem durchschnittlichen Unternehmen.«

»Und nun?«, fragte sie.

»Nun kehren wir zu unseren anfänglichen Aussagen über unser Durchschnittsunternehmen zurück. Wir haben bereits festgestellt, dass jeder Angestellte pro Jahr 200 000 Dollar des Gesamtgewinns erwirtschaftet. Wenn wir von dem Ergebnis ausgehen, das Sie gerade ermittelt haben, erwirtschaften die Angestellten diesen Betrag bei einer Produktivität von 68 Prozent. An diesem Punkt setzte Thomas an und erzielte dadurch große Gewinne. Von Anfang an erkannte er, dass Menschen, die für eine erfüllende Tätigkeit bezahlt werden, produktiver sind als Menschen, die etwas tun, was sie nicht erfüllt. Das ist auch nicht weiter verwunderlich, oder? Wenn Sie sich die Fragen ansehen, lässt sich relativ leicht erkennen, dass die Zahlen höher wären, wenn der Durchschnittsmensch seine Zeit mit etwas Erfüllendem verbringen würde.

Aber jetzt kommt die große Überraschung. Nehmen wir an, Ihre 68 Prozent würden auf 80 Prozent steigen. Bei 68 Prozent erwirtschaftet jeder Angestellte einen Nettogewinn von 200 000 Dollar. Lassen Sie uns eine einfache mathematische Gleichung aufstellen…« Ich schrieb die Formel auf Sonjas Blatt.

$$\frac{68}{200\,000} = \frac{80}{X}$$

$$X = \frac{80 \times 200\,000}{68}$$

$$X = 235\,294{,}11$$

»Anhand dieser Gleichung erkennen wir, dass jeder Angestellte bei einer Produktivität von 80 Prozent 235 294 Dollar pro Jahr erwirtschaftet. Da unsere Firma 1000 Angestellte hat, erhöht sich der Gewinn um…«

»Um über 35 Millionen Dollar«, sagte Sonja.

»Korrekt. Und das ist wohlgemerkt nicht der Umsatz, sondern der Gewinn. Ein *erheblicher* Gewinn.«

Sonja nahm das Blatt und betrachtete die Zahlen. »Und wie erreicht man eine Produktivitätssteigerung von 68 auf 80 Prozent?«, wollte sie wissen.

»Gute Frage«, antwortete ich. »Behalten Sie diesen Gedanken im Hinterkopf. Ich möchte vorher noch auf den zweiten Bereich kommen, den ich erwähnt hatte. Ein Faktor ist die Produktivität und der zweite die Fluktuation. Die Fluktuationsraten der verschiedenen Branchen unterscheiden sich erheblich voneinander. Bei Consultingfirmen sind es circa 15 Prozent. Bei Callcentern sind es um die 45 Prozent. Nehmen wir für unser Durchschnittsunternehmen einen mittleren Wert an. Wie wäre es zum Beispiel mit 24 Prozent?«

»Das klingt gut.«

»Okay. Dieser Punkt spielt eine große Rolle für den Gewinn in Thomas' Unternehmen. Bei einer Fluktuationsrate von 24 Prozent würden jedes Jahr 240 Menschen unsere Firma verlassen. In den meisten Unternehmen schenkt man diesen Zahlen keine besondere Beachtung. Warum ist das wohl so?«

Sonja sah mich an. »Wollen Sie meine ehrliche Meinung dazu hören? Zum einen ist es für die Leute etwas ganz Normales. Wenn regelmäßig so viele Menschen das Unternehmen verlassen, fällt es kaum jemandem auf. Zum anderen wird dieser Tatsache nicht viel Aufmerksamkeit geschenkt, weil die damit verbundenen Ausgaben in der Regel aus dem Etat der Personalabteilung stammen und man in den meisten Unternehmen nicht davon ausgeht, dass die Personalabteilung etwas zum Gewinn des Unternehmens beiträgt.«

Ich lächelte. »Genau so ist es. Manager unterschiedlichster Bereiche haben mir bestätigt, dass sie gar nicht so unglücklich darüber sind, wenn jemand kündigt und sie einen Angestellten weniger haben, da man sich so sein Gehalt erst mal sparen kann. Als ich ihnen erklärt habe, was ich Ihnen jetzt erläutern werde, waren sie nicht mehr so glücklich darüber. Bleiben wir bei unserem Beispiel: Wie entwickeln sich die Kosten, wenn jemand unser Unternehmen verlässt und eine neue Person eingestellt werden muss?«

Sonja legte ihre Hand an ihr Kinn. »Das ist bei jedem Unternehmen unterschiedlich, aber grundsätzlich entstehen bei jeder Neueinstellung Kosten. Man muss Anzeigen schalten oder Personalagenturen oder Headhunter bezahlen. Und wenn man jemanden gefunden hat, entstehen weitere Kosten, da man ihn einarbeiten muss.«

»Sie haben recht. Das sind zwei der Kostenfaktoren. Und allein diese wirken sich schon schmerzlich auf die Gewinne des Unternehmens aus. Aber das ist nichts im Vergleich zu den größeren Produktivitätskillern. Wie produktiv ist jemand Ihrer Meinung nach in den *letzten* drei Monaten, bevor er einen Arbeitsplatz verlässt, der ihm nicht gefällt?«

Sonja lachte. »Soll ich Ihnen meine persönliche Erfahrung verraten oder möchten Sie hören, wie produktiv die Leute sein *sollten*?«

»Ich würde lieber Ihre persönliche Erfahrung hören.«

Sie lachte wieder. »Also, für mich selbst und auch für meine Freunde gilt – und es ist dabei völlig egal, welche Position jemand hat –, sobald man nach einem neuen Job sucht, schaltet man automatisch ein paar Gänge zurück. Vor allem dann, wenn man innerlich längst gekündigt hat. Je näher der letzte Tag rückt, desto weniger engagiert arbeitet man. Jemand, der einen Job kündigt, den er nicht mag, arbeitet in den letzten drei Monaten wahrscheinlich nur mit einer Produktivität von circa 50 Prozent.«

»Gut«, sagte ich. »Und wie produktiv ist jemand, der neu in einem Unternehmen anfängt, in den *ersten* drei Monaten?«

»Es hängt natürlich von der Komplexität des Jobs ab. Wahrscheinlich ist die Produktivität anfangs sehr gering und steigert sich gegen Ende des dritten Monats enorm. Ich würde sagen, im Durchschnitt arbeiten die Leute in dieser Zeit wahrscheinlich gleichfalls mit einer Produktivität von 50 Prozent.«

»Ausgezeichnet. Und bevor ich Ihnen die Rechnung weiter erläutere, sollten Sie noch Folgendes miteinbeziehen: Wenn Kunden, Lieferanten und Händler mit neuen Leuten zu tun haben, die nicht hundertprozentig produktiv sind, machen sie eine schlechte Erfahrung. Menschen mögen Veränderungen generell nicht. Und besonders dann nicht, wenn die Veränderung zur Folge hat, dass sie einen schlechteren Service und weniger Unterstützung erhalten. Wenn das Unternehmen seinen Kunden über einen längeren Zeitraum keinen guten Service bietet, dann suchen sich die Kunden eine andere Firma, der sie ihr Geld geben.

Kommen wir also wieder auf unsere Rechnung zurück. Übrigens beträgt die Fluktuationsrate in Thomas' Unternehmen nie mehr als 5 Prozent, daher verwende ich diese Zahl für unsere verbesserte Firma.«

Ich schrieb all die Punkte auf, über die wir gesprochen hatten, zog meinen Taschenrechner hervor, stellte rasch einige Berechnungen an und übertrug die Zahlen in eine Tabelle.

	Durchschnittsfirma	Durchschnittsfirma nach Verbesserungsmaßnahmen
Jährliche Fluktuation	24%	5%
Produktivität	68%	80%
Produktivität der Mitarbeiter drei Monate vor ihrem Weggang sowie der neuen Angestellten in den ersten drei Monaten	50%	50%
Tatsächliche Produktivität unter Berücksichtigung der verringerten Produktivität von 50% der Mitarbeiter, die gekündigt haben, und derjenigen, die neu zum Unternehmen dazukommen	64%	79%
Nettogewinn aufgrund von Produktivitätssteigerungen bei einer Fluktuationsrate von 24%		28 643 216 $
Zusätzlicher Gewinn aufgrund von Produktivitätssteigerungen bei einer geringeren Fluktuationsrate		17 902 010 $
Nettogewinn aufgrund geringerer Personalbeschaffungs- und Einarbeitungskosten bei einer niedrigeren Fluktuationsrate		4 560 000 $
Nettogesamtgewinn		51 105 226 $

»Warum haben Sie einen Taschenrechner in Ihrem Rucksack?«, fragte Sonja.

»Ach, das ist reine Gewohnheit«, antwortete ich. »Ich reise oft in Länder, in denen ich den Wechselkurs berechnen muss, deshalb habe ich diesen kleinen Taschenrechner immer dabei, wenn ich unterwegs bin.«

Sie nickte und betrachtete die Zahlen, die ich aufgeschrieben hatte. »Ich fürchte, Sie müssen mir das etwas genauer erläutern, Joe.«

»Kein Problem. Es ist eine Kombination dessen, was wir bereits erörtert haben, und der Zahlen unserer ersten Rechnung. Wir waren davon ausgegangen, dass der Nettogewinn des Unternehmens 200 Millionen Dollar beträgt und, bei insgesamt 1000 Angestellten, pro Kopf ein Gewinn von 200 000 Dollar erzielt wird.«

»Genau.«

»Nun habe ich lediglich berechnet, um wie viel sich der Nettogewinn des Unternehmens erhöhen würde, wenn man zwei Dinge verbessern würde – die generelle Produktivität der Angestellten und ihre Fluktuationsrate. Allerdings musste ich zusätzlich etwas sehr Wichtiges mitberücksichtigen.«

»Die niedrigere Produktivität all der Menschen, die das Unternehmen verlassen, und der Leute, die neu dazukommen«, sagte Sonja.

»Anstatt mit einer Produktivität von 68 Prozent zu arbeiten, die Sie anhand der Fragen ermittelt haben – oder von 80 Prozent, was unserer hypothetischen Produktivität entspricht –, arbeiten die Menschen, die das Unternehmen verlassen oder neu dazukommen, drei Monate mit einer Produktivität von 50 Prozent.«

Sonja nickte. »Jetzt verstehe ich Ihre Rechnung. Und ich verstehe auch, worauf Sie hinauswollen. Eine hohe Fluktuationsrate hat negativere Auswirkungen auf den Gewinn, als die Leute annehmen.«

»So ist es. Natürlich wirkt es sich erheblich auf den Gewinn eines Unternehmens aus, wenn man die allgemeine Produktivität verbessert. Aber wenn man diese mit niedrigen Fluktuationsraten kombiniert, gewinnt man am meisten.«

»Das erinnert mich an meine vorige Frage«, sagte Sonja. »Wie erreicht man das?«

»In diesem Punkt ist Thomas ein Genie«, antwortete ich. »Er fand nämlich Folgendes heraus: Je besser der Zweck der Existenz eines Menschen zu dem ZDE des Unternehmens passt, desto wahrscheinlicher ist es, dass er langfristig bei dem Unternehmen bleibt. Und je mehr seine Tätigkeit auf seinen ZDE und seine Big Five for Life abgestimmt ist – die ich Ihnen gleich erläutern werde –, desto produktiver ist er *und* desto wahrscheinlicher bleibt er langfristig bei dem Unternehmen.

Da die Menschen länger bleiben und produktiver sind, erzielen Thomas' Unternehmen insgesamt höhere Gewinne. Wie ich bereits gesagt habe, steht es nicht im Widerspruch zum sozialen Ansatz von Thomas, dass das Hauptaugenmerk auf den Gewinnen liegt, da gerade dieser Ansatz zur Rentabilität führt.

Aber ich habe Ihnen auch ein paar Statistiken versprochen, nicht wahr?«, fragte ich.

»Ja, das haben Sie«, sagte Sonja.

»Zunächst einmal stellt Thomas seit zwei Jahrzehnten mit

seinen Unternehmen unter Beweis, dass sein Ansatz funktioniert. Die Fluktuationsraten lagen nie über fünf Prozent, und ich würde die Produktivität auf über 90 Prozent schätzen. Wenn Sie aber unabhängige Zahlen haben möchten, kann ich eine große Studie zitieren, die von der Cornell-Universität in Zusammenarbeit mit dem Gevity-Institut durchgeführt und vor Kurzem veröffentlicht wurde. Bei der Studie wurden die Ergebnisse von 300 Unternehmen auf drei wesentliche Faktoren hin untersucht:

Erstens, die Eignung der Angestellten. Stellten die Unternehmen jemanden ein, weil seine Qualifikation gut zu der Stellenbeschreibung oder weil er insgesamt gut zur Unternehmenskultur passte?«

»Das klingt nach dem, was Sie über Thomas' Politik, den ZDE des Unternehmens zu berücksichtigen, sagten«, meinte Sonja.

»Der zweite Aspekt, den die Studie untersuchte, war der Führungsstil. Überprüften die Vorgesetzten alle Arbeitsschritte der Mitarbeiter genau oder konnten diese ihre Arbeit frei gestalten und so erledigen, wie sie es für richtig hielten? Wir haben zwar noch nicht darüber gesprochen, aber Thomas hat stets eine Unternehmenskultur gefördert, bei der qualifizierte Leute eingestellt werden, die dann die Freiheit haben, selbst den besten Weg zu ermitteln, um erfolgreich zu arbeiten. Denn wenn man die Menschen kontrollieren muss, um sicherzugehen, dass sie tun, was nötig ist, dann – davon ist Thomas überzeugt – hat man die falschen Leute eingestellt.«

»Und der dritte Aspekt?«, fragte Sonja.

»Beim dritten Punkt ging es darum, wie die Unternehmen ihre Angestellten anwarben und hielten, was wichtig ist für die Berechnungen, die wir gerade angestellt haben. Die Studie untersuchte, ob die Unternehmen ihre Mitarbeiter durch die Gehälter oder andere finanzielle Anreize motivierten oder ob sie eine Atmosphäre schufen, in der die Menschen das Gefühl hatten, ein Teil von etwas Größerem zu sein. Wenn ich mich richtig erinnere, wurde in der Studie der Begriff ›familienähnliches Umfeld‹ verwendet.«

»Das klingt auch sehr nach Thomas' ZDE-Ansatz«, sagte Sonja. »Und wie sahen die Ergebnisse aus?«

»Sie sind wirklich bereit für ein paar Statistiken, nicht wahr?«

Sie lachte. »Her damit!«

»Ich erläutere Ihnen eine, die alle drei Hauptaspekte der Studie beinhaltet«, sagte ich. »Den Rest können Sie online nachlesen.

Wenn Unternehmen
a) die Einstellungen nicht auf der Basis vornahmen, ob jemand möglichst geeignet für einen Job war, sondern danach, wie gut jemand zu der Unternehmenskultur passte,
b) die Mitarbeiter bei der Arbeit nicht ständig kontrollierten, sondern ihnen eine größere Selbstständigkeit zugestanden und es ihnen überließen, sich selbst zu managen, und
c) nicht versuchten, die Angestellten rein mit Geld zu motivieren, sondern indem sie ein ›familienähnliches Umfeld‹ entwickelten, wenn also diese Unternehmen mit Unternehmen verglichen wurden, die in diesen drei Punkten genau das Gegenteil taten...«, ich machte eine Pause, um die dramatische Wirkung zu steigern.

Sonja sah mich erwartungsvoll an.

»… dann stellte sich heraus, dass diese Unternehmen um 22 Prozent höhere Umsatzsteigerungen, um 23 Prozent höhere Gewinnzuwächse und eine um 67 Prozent niedrigere Fluktuationsrate bei ihren Angestellten hatten.«

Sonja nahm das Blatt Papier in die Hand, auf dem wir unser Beispiel festgehalten hatten. »Das stimmt mit unserer Berechnung überein«, sagte sie.

»Genau. Und das, obwohl *Sie* die Statistik zur Produktivität ermittelt haben«, sagte ich. »Sie lagen mit Ihren Antworten zu den Produktivitätsfragen wohl ziemlich richtig.«

11

Sonja nahm das Blatt Papier, auf dem wir unsere Notizen gemacht hatten, und steckte es in ihre Handtasche. »Joe, was Sie mir gerade erläutert haben, gehört doch nicht zu den Dingen, mit denen Sie sich normalerweise tagtäglich beschäftigen. Woher wissen Sie das alles?«

Ich schmunzelte. »Ich habe es auf den ›Finde-deine-Erfüllung-Seminaren‹ gelernt.«

»Auf den Finde-deine-Erfüllung-Seminaren? Was kann ich mir darunter vorstellen?«

»Zweimal im Jahr lädt Thomas all die neuen Reisenden, die zu seinen Unternehmen gestoßen sind, sowie seine wichtigsten Geschäftspartner, Kunden und Zulieferer zu einem dreitägigen Seminar ein. Während des Seminars tauschen er und die Führungskräfte seiner Unternehmen sich darüber aus, welche Richtung sie eingeschlagen haben, warum sie bestimmte Ziele verfolgen und welche Methoden sich dabei bewährt haben. Im Grunde genommen laden Thomas und die Führungskräfte die anderen Teilnehmer dazu ein, sie für ein paar Tage auf ihrer Reise zu begleiten.«

»Und wer bezahlt das alles?«

»Das Mutterunternehmen trägt die gesamten Kosten. Am letzten Seminar nahmen über 2000 Leute teil.«

»Waren Sie auch dort?«

»Ja, ich leite die Veranstaltung sogar. Ich beginne jeweils vier Wochen vorher mit der Vorbereitung des Seminars und beschäftige mich dann noch ein bis zwei Wochen mit der Auswertung.«

»Wie sind Sie an diesen Job gekommen?«

»Das Ganze war eigentlich die Idee von Thomas. Es war die beste Lösung, die uns eingefallen ist, um meine Big Five for Life zu erfüllen.«

Sonja lächelte. »Die Big Five for Life? Wollten Sie mir nicht schon vor einer ganzen Weile erklären, was es damit auf sich hat?«

Ich nickte und erwiderte ihr Lächeln. »Sie haben recht. Sind Sie bereit für eine weitere Geschichte?«

»Schießen Sie los.«

»Kommen wir noch einmal auf den ersten Teil unseres Gesprächs zurück, in dem es darum ging, dass Thomas mit mir über den Museumstag gesprochen hat. Danach trafen wir uns jeden Montag im Zug und unterhielten uns während der Fahrt. Manchmal über geschäftliche Dinge, manchmal aber auch ganz allgemein über das Leben. Es waren gute Gespräche. Allerdings sah ich Thomas immer nur montags. Nach ein paar Monaten saßen wir wieder einmal im Zug und ich jammerte darüber, dass ich zur Arbeit musste. Thomas fragte mich, warum ich die Arbeit machte, wenn sie mir so sehr missfiel. Ich dachte über seine Frage nach und sagte ihm, dass ich nicht wüsste, was ich sonst machen sollte. Daraufhin fragte er mich, ob ich eine interessante Person kennenlernen wolle. Es sei jemand, der wahrscheinlich – so formulierte Thomas es – mein Leben ›positiv verändern‹ würde.«

56

Sonja sah mich an. »Ein solches Angebot kann man kaum ausschlagen.«

»Das stimmt, und ich tat es auch nicht. Thomas arrangierte daraufhin ein Mittagessen mit der Person, die ich kennenlernen sollte, und zwar ausgerechnet in einem Zoo.«

»In einem Zoo?«

»Ganz genau. Am vereinbarten Tag trafen Thomas und ich uns am Eingang des Zoos und er brachte mich zu einem hochmodernen Affenhaus. In der Nähe der Eingangstüren zum Gorilla-Bereich sah ich eine junge Frau in Khakikleidung. Sie musste Mitte bis Ende zwanzig sein und ich bemerkte sofort, dass sie genauso wie Thomas eine unglaubliche Ausstrahlung hatte.

Zur Begrüßung umarmte sie Thomas sehr herzlich.«

»Schön, dich zu sehen, Thomas.«

»Ebenso, Katie. Wie geht es dir?«

»Bestens, mir geht es prächtig. Ihr habt mich gerade zwischen zwei Reisen abgepasst. In zwei Wochen fahre ich schon wieder nach Kenia.«

Thomas wandte sich mir zu. »Katie, ich möchte dir gerne meinen Freund Joe vorstellen, von dem ich dir bereits am Telefon erzählt habe.«

Katie lächelte mich an und gab mir die Hand. »Freut mich, Sie kennenzulernen, Joe. Thomas hat mir gesagt, dass Sie mit Ihrer Arbeit überhaupt nicht zufrieden sind.«

Angesichts ihrer Ehrlichkeit und Direktheit musste ich lachen. »Ich freue mich auch«, und zu Thomas gewandt fügte ich hinzu: »Danke, dass du mich so positiv dargestellt hast.«

»Keine Sorge, er hat gesagt, dass Sie ein toller Typ sind«,

meinte Katie beschwichtigend und zwinkerte Thomas schelmisch zu. »Aber eben auch, dass Sie absolut unzufrieden mit Ihrer Arbeit sind.«

Thomas lachte. »Wenn ich es dir nicht erzählt hätte, hättest du es sowieso selbst herausgefunden. Joe ist in der Tat ein toller Kerl. Er ist allerdings auf der Suche. Daher dachte ich, du könntest ihm vielleicht deine Geschichte erzählen und ihn möglicherweise etwas inspirieren. Wenn du damit einverstanden bist, würde ich ihn nun deiner Obhut anvertrauen und ein paar Freunde besuchen, während ich hier bin.«

Katie wandte sich an mich. »Ist das für Sie in Ordnung?«

Ich nickte. »Natürlich, solange Sie mich nicht in den Löwenkäfig sperren.«

Sie schmunzelte. »Keine Sorge, das haben wir heute schon mit zwei anderen Leuten gemacht. Wir brauchen niemanden mehr.«

Thomas lachte. »Ich merke schon, dass ihr beiden wunderbar miteinander klarkommt. Ich sehe dich dann im Zug, Joe. Vielen Dank, Katie.« Die beiden umarmten sich noch mal und Thomas machte sich auf den Weg.

»Hat er hier im Zoo noch andere Freunde?«, wollte ich wissen.

»Ja, vor allem zwei, die enorm zu unserem Erfolg beigetragen haben. Sie können sie später kennenlernen, wenn Sie möchten.«

»Gerne. Wo arbeiten sie denn?«

»Drüben beim Dickhäutergehege. Sie spielen eine *große* Rolle hier im Zoo.«

Ich schmunzelte. »Warum habe ich nur das eigenartige

Gefühl, dass Sie mich aufziehen? Die Freunde von Thomas sind gar keine Menschen, oder?«

Katie lächelte verschmitzt zurück. »Gut geschaltet, Joe. Nein, es handelt sich nicht um Menschen. Eins von Thomas' Unternehmen hat die Renovierung des Elefantengeheges gesponsert. Vor zwei Jahren leitete ich eine Safari in Afrika, an der Thomas, seine Frau Maggie und fast 30 seiner Mitarbeiter teilnahmen. Wir hatten ein paar fantastische Erlebnisse mit Tieren, vor allem mit Elefanten. Als die Reisegruppe wieder zu Hause war, entschloss sie sich, dem Zoo jedes Jahr einen bestimmten Prozentsatz des Gewinns zu spenden.

Thomas' Freunde sind zwei kleine Elefantenbabys und ihre Mütter. Sie sollten getötet werden, weil sie immer wieder in die Felder verschiedener Farmen eindrangen und dort großen Schaden anrichteten. Doch wir haben sie aufgenommen. Thomas besucht sie jedes Mal, wenn er hier ist. Ebenso wie die Leute, die mit ihm zusammenarbeiten. Ich sehe sie häufig. Es ist erstaunlich, wie schnell Menschen sich als Teil einer Sache sehen, wenn sie ihnen wirklich wichtig ist und sie zu ihrem Werden etwas beitragen.«

Ich lächelte. »Nach allem, was er mir erzählt hat, entspricht das ganz den Prinzipien, die Thomas in seinen Unternehmen anwendet.«

»So, wie ich Thomas kenne, ist es wahrscheinlich so. Es ist sicherlich effektiver, als wenn die Leute ihre Zeit mit Aktivitäten verbrächten, die ihnen nicht wichtig sind. Sie sollten mal sehen, wie die Menschen sich hier engagieren. Dabei werden sie nicht einmal dafür bezahlt.«

»Im Ernst?«

»Oh ja. Vor circa fünf Jahren haben wir mit einem Freiwilligenprogramm begonnen. Menschen aus der Stadt oder der Umgebung, die Tiere mögen, arbeiten hier ehrenamtlich. Sie betreuen zum Beispiel die Besucher oder helfen bei der Tierpflege. Wir haben mit ein paar Leuten begonnen und mittlerweile sind es schon um die Hundert. Können Sie sich vorstellen, was das bedeutet? Aufgrund der ehrenamtlichen Helfer sind wir in der Lage, den Besuchern einen viel angenehmeren Aufenthalt zu ermöglichen. Das hilft uns nicht nur, unsere Aufgabe zu erfüllen, sondern führt auch dazu, dass die Besucher gerne wiederkommen, was dem Zoo mehr Einnahmen bringt. Und weil die Helfer ehrenamtlich tätig sind, müssen wir sie nicht einmal bezahlen – und das ist auch gut so, denn wir könnten es uns gar nicht leisten.«

Ich nickte. »Das klingt beeindruckend.«

Katie lächelte vergnügt. »Danke, wir sind auch sehr zufrieden damit.«

Ich sah an Katie vorbei zu dem Gehege, vor dem sie stand. »Arbeiten Sie dort?«

»Nur einen Teil meiner Zeit. Ich lebe jedes Jahr sechs Monate hier und die anderen sechs Monate im Ausland. Wir haben eine Reihe von Kooperationen mit Organisationen in ganz Afrika. Daher verbringe ich relativ viel Zeit dort und arbeite mit ihnen zusammen. Auf diese Weise können wir uns darüber austauschen, wie man die Tiere am besten schützt. Da ich meine Zeit aufteile, kann ich sowohl meine Erfahrungen aus der freien Wildbahn einbringen als auch all die Erkenntnisse, die wir durch die Beobachtung der Tiere hier im Zoo gewinnen.« Katie deutete auf die Eingangstür. »Haben Sie Lust auf einen Rundgang?«

»Ja, sehr gerne.«

In den nächsten 30 Minuten führte Katie mich zu all den Beobachtungsstationen und Gehegen. Ich konnte gar nicht glauben, wie gut alles durchdacht war. Die Bereiche waren informativ, lehrreich und unterhaltsam gestaltet… Und es war offensichtlich, dass die Besucher begeistert waren. Es gab Dutzende von Müttern mit Kinderwägen und Hunderte von kleinen Kindern.

»Dieser Zoo ist viel schöner als die in meiner Kindheit«, sagte ich.

Katie nickte zustimmend. »Ja, zum Glück sind die Zeiten der Betonzellen und Eisengitter seit Langem vorbei.« Sie deutete auf die verschiedenen Gehege. »Thomas hat einen großen Beitrag zu all dem geleistet.«

»Das wusste ich nicht.«

»Doch, sein Prinzip, dass eine Organisation sich auf ihren Zweck der Existenz konzentrieren sollte, war eine treibende Kraft, die vieles ermöglicht hat. Als wir dieses Projekt gestartet haben, begannen wir zunächst damit, den ZDE zu definieren. Dann überlegten wir, wie die Big Five for Life des Projekts aussehen. Und bei jedem Schritt überprüften wir, ob wir noch auf dem richtigen Weg waren. Schauen Sie sich zum Beispiel einmal dieses Gehege an.«

Katie führte mich zu einem riesigen Glasgehege. Darin befanden sich vier verschieden große Gorillas unterschiedlichen Alters, die auf Ästen herumturnten. »Was sehen Sie?«

»Gorillas.«

»Sehen Sie genauer hin. Schauen Sie sich an, wie ihr Lebensraum gestaltet ist.«

Ich verlagerte meine Aufmerksamkeit von den Tieren auf das Gehege selbst.

»Was sehen Sie nun?«

»Das ist interessant«, meinte ich. »Die Tiere können nach Belieben durch die offene Glastür von drinnen nach draußen gehen.«

Katie nickte. »Genau, und was sehen Sie sonst noch?«

»Hm, der Außenbereich ist sehr naturgetreu gestaltet. Wenn die Gorillas draußen sind, befinden sie sich inmitten von Pflanzen und Käfern und Bäumen. Und hier im Innenbereich ist der Boden mit Holzschnitzeln bedeckt, was ihrem natürlichen Lebensraum wahrscheinlich recht nahe kommt.«

Katie nickte abermals. »So ist es. Fällt Ihnen noch etwas auf?«

Ich betrachtete all die kleinen Kinder, die vor der Glaswand standen und die Gorillas beobachteten. »Die Wände sind niedriger. Als ich ein Kind war, mussten meine Eltern mich hochhalten, damit ich die Tiere sehen konnte. Hier dagegen haben Sie die Gehege so gestaltet, dass die Kinder auf Augenhöhe mit den Gorillas sind.«

Katie lächelte. »Ganz genau. Sogar die Kleinsten können diese Tiere sehen.«

Sie berührte meinen Arm. »Sehen Sie mal dort.«

Ein kleines Mädchen von ungefähr zwei Jahren stand an der Glasscheibe und hatte seine Hände dagegengelegt. Auf der anderen Seite der Scheibe tat ein kleiner Gorilla genau das Gleiche. Sie standen sich quasi Nase an Nase gegenüber.

»Außerdem«, sagte Katie, »ist das Glas schalldicht, damit die Tiere nicht durch die begeisterten Schreie der kleinen Kinder gestört werden. Und der Übergang vom Innen- zum

Außenbereich ist ebenfalls aus Glas, damit die Menschen und die Gorillas die Pflanzen und Bäume sehen können. Wir haben bei der Gestaltung aller Bereiche darauf geachtet, dass unser ZDE und die Big Five erfüllt werden.«

12

Sonja sah mich schmunzelnd an. »Ich glaube, Sie wollen mich mit dieser ganzen Big-Five-for-Life-Geschichte ärgern. Worum geht es dabei?«

Ich lachte. »Dazu wollte ich gerade kommen.«

Katie und ich setzten uns auf eine Bank, von der aus wir die Gorillas beobachten konnten. Die beiden jüngeren tollten miteinander herum.

»Diese Kleinen erinnern mich an meine jüngeren Brüder, als sie noch Kinder waren«, sagte sie. »Allerdings haben meine Brüder öfter gebissen.«

Ich schmunzelte. »Katie, ich verstehe das ZDE-Prinzip, das Sie erwähnt haben. Thomas hat es mir bereits einige Male erklärt. Aber was haben Sie mit den Big Five gemeint?«

Sie sah mich überrascht an. »Hat Thomas noch gar nicht mit Ihnen darüber gesprochen?«

»Nein.«

Sie nickte. »Jetzt verstehe ich, was er für heute im Sinn hatte. Er hat mir zwar gesagt, dass Sie unglücklich mit Ihrem Job sind, aber ich hatte angenommen, dass er Ihnen schon von den Big Five erzählt hat. Aber gut. Ich muss dafür ein bisschen weiter ausholen. Thomas und ich haben uns vor fast 15 Jahren kennengelernt. Er und seine Frau Maggie waren ehrenamtliche Juroren bei einem Jugend-forscht-Wettbewerb. Thomas war dafür zuständig, mein Projekt zu beurteilen, in dem es um die Zukunft der Arten ging. Bei der Vorstellung des Projekts erläuterte ich, warum für Menschen und Tiere mehr dabei herauskäme, wenn sie interagierten, statt sich gegenseitig aus der Distanz heraus zu beobachten.« Katie sah mich verschmitzt an. »Die Details meines Vortrags hebe ich mir für ein anderes Mal auf.

Als ich mit meiner Präsentation fertig war und die Juroren ihre Fragen gestellt hatten, verließen alle außer Thomas den Raum. Meine Präsentation sei das Beste gewesen, was er in seiner dreijährigen Tätigkeit als Juror gehört habe, meinte er und wollte wissen, welche Pläne ich für mein Leben hätte. Ich erzählte ihm, dass ich mir nicht sicher sei. Ich wollte gerne mit Tieren zu tun haben, aber alle in meiner Familie und in der Schule meinten, dass man damit seinen Lebensunterhalt nicht verdienen könne. Doch Thomas veränderte meine Perspektive mit einer einzigen Aussage.«

»Und die lautete?«

»Er sah mir in die Augen und sagte: ›Das stimmt nicht!‹ Dann erzählte er mir von zwei Frauen, die ich unbedingt kennenlernen sollte. Die beiden würden ›mein Leben positiv verändern‹, meinte er.«

Ich musste schmunzeln.

»Warum lachen Sie?«, fragte mich Katie.

»Weil er Sie mir auch so beschrieben hat, als er mich fragte, ob ich Sie kennenlernen möchte. Er hat genau die gleichen Worte verwendet.«

Katie nickte. »Das ist ein großes Kompliment, wenn ich bedenke, mit wem er mich bekannt gemacht hat. Nachdem

Thomas die beiden Frauen erwähnt hatte, schrieb er sich den Namen meiner Schule auf. Und ob Sie es glauben oder nicht, zwei Tage nach dem Wettbewerb kam ein Päckchen für mich in der Schule an. Sie hätten den Gesichtsausdruck der Sekretärin sehen sollen, als ich es abholte. In dem Päckchen befanden sich zwei Bücher. Das erste war die Lebensgeschichte von Jane Goodall. Wissen Sie, wer sie ist?«

»Nur so ungefähr. Hat sie nicht irgendwas mit Schimpansen zu tun?«

»Nicht nur irgendwas. Sie war eine Pionierin auf dem Gebiet der Schimpansenforschung und ist eine der anerkanntesten Expertinnen. Ihre Geschichte ist unglaublich. Sie hatte weder ein besonderes Training noch eine spezielle Ausbildung, die sie auf ihre Aufgabe vorbereitet hätte, doch mit ihrer ungeheuren Leidenschaft, ihrem Mut und ihrem Abenteuergeist gelang es ihr, all das zu leisten.«

»Und das zweite Buch?«

»Das zweite Buch war die Geschichte eines jungen Mannes, der nach Afrika fährt, weil es die *eine* Sache ist, für die er sich absolut begeistert. Er spart zwei Jahre lang und als er schließlich in Afrika ankommt, begegnet er einer sehr alten, weisen Frau namens Ma Ma Gombe. Sie bietet ihm an, mit ihm durch den afrikanischen Kontinent zu wandern. Die Geschichte erzählt von ihrer gemeinsamen Reise – von den Gefahren, denen sie begegnen, von den Tieren, die sie sehen, den Menschen, die sie treffen, und den Lehren, die Ma Ma Gombe dem jungen Mann vermittelt.«

»Wow!«, sagte ich.

»Ja, es war wirklich beeindruckend. Stellen Sie sich einmal vor, wie es ist, wenn ein 15-jähriges Mädchen, das sich nach Inspiration sehnt, diese Bücher über weibliche Vorbilder in die Hände bekommt. Vielleicht wäre ich auch dort angekommen, wo ich heute bin, wenn ich Thomas nie getroffen und diese Bücher nie gelesen hätte, aber es ist nicht sehr wahrscheinlich. Und auf alle Fälle hat Thomas die Dinge sehr beschleunigt.«

»Und was hat es nun mit den Big Five for Life auf sich?«

»Oh, Entschuldigung. Im zweiten Buch geht es in einer der zentralen Lehren von Ma Ma Gombe darum, die eigenen Big Five for Life zu erkennen. Wenn Menschen nach Afrika fahren und dort eine Safari machen, dann sprechen die Ranger und Safarileiter immer von den afrikanischen ›Big Five‹. Das sind die fünf Tierarten, die jeder gerne sehen möchte.«

»Welche sind das?«

»Löwe, Leopard, Rhinozeros, Elefant und der Afrikanische Büffel. Die Menschen messen den Erfolg ihrer Safari daran, wie viele der Big Five sie gesehen haben. Wenn sie drei der fünf Tierarten sehen, ist es für sie eine durchschnittliche Safari, vier Tierarten zu sehen, ist schon ziemlich gut und fünf sind ein voller Erfolg.

Ma Ma Gombe erklärt ihrem jungen Begleiter, dass wir alle selbst definieren können, was wir unter Erfolg verstehen, indem wir unsere eigenen Big Five erkennen. Es sind die fünf Dinge, die wir tun, sehen oder erleben möchten, bevor wir sterben. Wenn wir diese fünf Dinge vor unserem Tod getan, gesehen oder erlebt haben, können wir am Ende unseres Lebens zurückblicken und zu uns selbst sagen, dass wir unsere Big Five for Life verwirklicht haben und unser Leben daher erfolgreich war. Denn *wir* haben – und das ist die zentrale Botschaft – unseren Erfolg *selbst* definiert.

Thomas hat dieses Prinzip auf allen möglichen Ebenen in seinen Unternehmen angewandt. So muss zum Beispiel jeder Kandidat bei einem Bewerbungsgespräch nicht nur darlegen, inwiefern sein persönlicher Zweck der Existenz zum Unternehmen passt, sondern auch, wie seine Big Five aussehen. Dann überlegt der Bewerber gemeinsam mit der Person, die das Einstellungsgespräch führt, auf welche Weise er seine Big Five an seinem künftigen Arbeitsplatz erfüllen kann. Wenn der Job nicht zu seinen Big Five passt, wird der Kandidat nicht eingestellt.

Das ist einer der Wege, wie Thomas die Motivation seiner Angestellten fördert. Wie motiviert wären Sie, wenn Sie dafür bezahlt würden, die fünf Dinge zu tun, die Ihr Leben Ihrer Meinung nach zu einem Erfolg machen?«

Ich nickte. »Ich wäre sehr motiviert.«

»Genau. Und Thomas wird Ihnen sagen, dass motivierte Menschen produktiver sind. Und wenn die Mitarbeiter in einem Unternehmen produktiver sind, führt es dazu, dass die Kunden zufriedener sind, und das führt zu größeren Gewinnen. Jeder gewinnt dabei.«

»Es ist gar nicht so leicht, sich vorzustellen, dass es so einfach funktioniert«, sagte ich.

Katie sah mich an. »Aber nur, wenn man in einem Unternehmen beschäftigt ist, das ganz anders strukturiert ist. Für Thomas' Leute ist es schwer vorstellbar, auf eine andere Weise zu arbeiten. Jeder hat eine Notiz über seine Big Five for Life auf seinem Schreibtisch zusammen mit Hinweisen, die aufzeigen, wie sie mit den Tätigkeiten verknüpft sind, die dieser Mensch jeden Tag verrichtet. Die Big Five sind darüber hinaus ein großer Teil der Unternehmenskultur. Thomas und seine Führungskräfte führen regelmäßig Gespräche mit ihren Teams, um sicherzugehen, dass die Aufgaben der einzelnen Mitarbeiter immer noch zu ihren Big Five for Life passen. Wenn das nicht mehr der Fall ist, überlegen sie sich gemeinsam neue Aufgaben. Solche Gespräche finden auf allen Ebenen des Unternehmens statt.«

Ich betrachtete die Gehege um uns herum. »Haben Sie hier einen ähnlichen Ansatz verfolgt?«

»Im Prinzip haben wir den Ansatz *kopiert*. Mit Thomas' Einverständnis und seiner Hilfe sowie der Unterstützung einiger seiner Leute sind wir bei Bewerbungsgesprächen auf die gleiche Weise vorgegangen und tun das nach wie vor. Und wir prüfen mit diesem Ansatz auch ständig, was funktioniert und was nicht. Projekte gehen wir ebenfalls so an. Das wollte ich vorhin sagen, als wir auf das Thema der Big Five for Life zu sprechen kamen.«

»Wie nutzen Sie den Ansatz bei Ihren Projekten konkret?«

»Nehmen wir dieses neue Gehege. Zunächst einmal ging es um den ZDE – den Zweck der Existenz. Warum sollte es das Gehege überhaupt geben? Dann überlegten wir, was Erfolg aus der Perspektive der Big Five for Life bedeuten würde. Was wollten wir mit diesem Gehege erreichen? Was waren die fünf Dinge, die wir uns für unsere Besucher wünschten? Was sollten sie tun, sehen und erleben und von ihrem Besuch bei uns mitnehmen?

Als wir auf diese Weise Ideen entwickelten und das Gehege allmählich Gestalt annahm, konnten wir leicht überprüfen, ob wir uns auf dem Weg zum Erfolg befanden. Thomas hat uns in diesem Zusammenhang eine lustige Geschichte erzählt. In einer erfolgreichen amerikanischen Fernsehshow zog sich der Moderator einmal einen Klettanzug an. Dann sprang er mit Schwung von einem Trampolin gegen eine Klettwand. Als sein Körper gegen die Wand prallte, griffen die Klettverschlüsse ineinander und der Moderator blieb an der Wand hängen.

Mit dieser Wand verglich Thomas den Zweck der Existenz und die Big Five for Life. Sie sind wie eine Erfolgsklettwand. Wenn man Ideen und Modelle oder Prototypen entwickelt, wirft man sie in der Vorstellung gegen eine imaginäre Klettwand. Falls sie mit dem eigenen ZDE und den Big Five harmonieren, bleiben sie haften und man kann sie nutzen. Falls sie nicht hängen bleiben, wäre es dumm, sie einzusetzen. Sie würden nicht zum Erfolg führen, so wie man ihn für sich definiert hat. Ich wende diese Technik gerne bei der Arbeit mit meinen Teams an, weil sie allen die gleichen Bewertungskriterien liefert. Darüber hinaus bietet sie uns eine gemeinsame Sprache. Auf diese Weise wissen alle immer, worum es grundsätzlich geht. Und deshalb sind wir produktiver als früher.«

»Das klingt so einfach«, sagte ich.

Katie nickte. »Zum Teil ist es das, zum Teil aber auch nicht. Zu Beginn eines Projekts ist es eigentlich einfacher, sofort mit einer Reihe von Dingen loszulegen, anstatt sich hinzusetzen, eine Definition des Erfolg zu entwickeln – und eine Klettwand zu entwerfen. Aber es rächt sich sehr schnell, wenn man kopflos startet. Die Leute steuern in lauter verschiedene Richtungen, da sie alle ihre eigene Vorstellung davon haben, wie Erfolg aussieht. Und die Ergebnisse sind häufig katastrophal.

Wie oft haben Sie es schon erlebt, dass Projekte am Ende

keineswegs das erfüllten, was am Anfang in der Konzeptionsphase geplant war?«

»Sehr oft.«

»Bedenken Sie nur, wie viel Zeit und Geld dabei vertan wird. Ganz davon zu schweigen, dass das Ergebnis nutzlos ist. Am Ende hat man also lediglich viel Zeit und Geld verschwendet und absolut nichts erreicht. So gesehen lohnt es sich immer, eine Klettwand des eigenen ZDE und der Big Five for Life zu erstellen.«

Katie verstummte und sah mir direkt in die Augen. Sie blickte tief hinein, sodass ich begann, mich etwas unwohl zu fühlen.

»Ich sehe in Ihren Augen keine große Freude, Joe«, meinte sie schließlich. »Es steht mir nicht zu, irgendjemandem zu sagen, wie er leben soll. Aber ich lasse mir auch keine Gelegenheit entgehen, wenn ich den Gefallen erwidern kann, den Thomas mir erwiesen hat, als er mir die zwei Bücher schickte. Ich glaube, Sie wissen nicht, wie Ihr persönlicher ZDE und Ihre Big Five for Life aussehen. Ich glaube nicht, dass Sie eine Klettwand haben, an der Sie verschiedene Möglichkeiten testen können.

Und wenn Sie mehr über Ihren ZDE und Ihre Big Five herausfänden und Sie dann Ihren Terminkalender der nächsten Woche durchgehen würden, um all die Dinge, Sitzungen und Aktivitäten anzukreuzen, die Ihnen dabei helfen, sie zu erfüllen – dann vermute ich, dass nicht viele Markierungen im Terminkalender zu sehen sein würden. Und darin liegt eine große Gefahr, Joe. Denn die Woche wird zu einem Monat und der Monat wird zu einem Jahr. Und bevor Sie sich's versehen, sind Sie bereits am Ende angekommen. Wenn Sie für die nächste Woche nicht viele Stellen in Ihrem Terminkalender ankreuzen, dann werden Sie wahrscheinlich nie viele Dinge ankreuzen. Und das bedeutet, dass Ihr Leben am Ende – in Ihren eigenen Augen – kein Erfolg gewesen sein wird.«

Katie sah mir weiterhin geradewegs in die Augen und ich senkte meinen Blick.

»Verzeihen Sie«, sagte sie. »Ich weiß, dass es nicht leicht ist, sich das anzuhören. Thomas hat uns aus einem bestimmten Grund miteinander bekannt gemacht. Ich weiß nicht genau, warum. Vielleicht weil wir im gleichen Alter sind oder weil er denkt, wir hätten ein paar ähnliche Interessen. Aber vielleicht hat er uns einander ja vorgestellt, weil er wollte, dass Sie das von mir hören.«

13

Als ich mit meiner Geschichte fertig war, sah ich Sonja an. Sie schwieg.

»Wahrscheinlich«, meinte sie schließlich, »können Sie es schon nicht mehr hören, aber: wow. Wow!«

Ich lachte. »Ja, es war wirklich eine großartige Begegnung.«

»Katie hatte das Glück, Thomas zu begegnen. Sie hatten das Glück, beide kennenzulernen«, meinte Sonja.

»Ja, ich hatte zweifellos großes Glück. Und ich habe von Thomas gelernt, dass man sich keine Möglichkeit entgehen lassen sollte, besondere Menschen zu treffen und Freundschaften zu ihnen aufzubauen. Thomas erzählt all seinen Mitarbeitern, dass ein Grund für seinen finanziellen und persönlichen Erfolg darin besteht, dass er sich mit Gewinnern umgibt. Mit Menschen, die ihr persönliches Lebensspiel gewinnen. Zum Erfolg seiner Unternehmen trägt bei, dass er sie mit Gewinnern aufbaut. Er inspiriert Menschen und lässt sich umgekehrt auch von ihnen inspirieren.«

»Haben Sie noch Kontakt zu Katie?«

»Ja.«

»Reist sie immer noch regelmäßig nach Afrika?«

»Ja, sie verfolgt ihren persönlichen Zweck der Existenz und ihre Big Five for Life sehr konsequent. Daher gibt es kaum einen Moment der Unentschlossenheit in ihrem Leben. Und weil das so ist, hat sie so wenig Stress wie kaum ein anderer. Katie macht sich keine unnötigen Gedanken. Wenn etwas ihren ZDE und ihre Big Five fördert, macht sie es, wenn nicht, lässt sie es bleiben.«

Sonja lächelte. »Und wie sieht das bei Ihnen aus?«

»Tja, wie Sie sich wahrscheinlich vorstellen können, war das damals ein besonderer Tag für mich – es war eine besondere Begegnung. Wenn mir jemand von diesem Lebensprinzip erzählt hätte, der es nicht selbst umgesetzt hätte oder der nicht die Ausstrahlung von Katie gehabt hätte, dann wäre ich zwar beeindruckt gewesen, doch wahrscheinlich hätte ich alles bald wieder vergessen. Katie aber so in ihrem Element zu sehen und zu erleben, welch großartige Arbeit sie im Zoo mit ihrem Team leistete, brachte mir das alles sehr nahe. Als sie mich am Ende unseres Gesprächs dann auf meine persönliche Situation ansprach… war es so, als würde mich plötzlich jemand wachrütteln.

Ich redete danach mit Thomas darüber und er half mir dabei, meinen Zweck der Existenz und meine Big Five for Life herauszufinden. Jetzt lebe ich sie. Und ich habe viele Stellen in meinem Kalender angekreuzt«, fügte ich schmunzelnd hinzu.

14

Meine sehr geehrten Damen und Herren, wir beginnen nun mit unserem Landeanflug. Bitte sorgen Sie dafür, dass die Tischplatte vor Ihnen hochgeklappt und die Rückenlehne Ihres Sitzes aufrecht gestellt ist.«

Ich blinzelte ein paar Mal und schielte auf meine Armbanduhr. Es war 8.30 Uhr morgens, Ortszeit. Ich sah zu Sonja hinüber, doch sie schlief noch. Wir hatten uns während des Flugs lange unterhalten und dann beschlossen, nach Möglichkeit noch etwas zu schlafen. Ich streckte meine Arme über meinen Kopf und kreiste mit meinen Schultern, um meine steifen Glieder etwas zu lockern.

»Sieht so aus, als wären wir fast da«, ließ Sonja sich vernehmen.

»So ist es.«

Sie lächelte mich an. »Danke für das wunderbare Gespräch, Joe. Ich hoffe sehr, dass Ihr Freund Thomas wieder gesund wird. Er scheint ein toller Mensch zu sein.«

»Danke. Das hoffe ich auch.«

Ich griff nach meinem Rucksack und zog eine meiner Visitenkarten heraus. »Hier sind meine Kontaktdaten. Lassen Sie uns in Verbindung bleiben.«

Sie nahm die Karte entgegen und las sie. Dann drehte sie sie um. »Hey, da stehen ja Ihre Big Five for Life und Ihr ZDE.«

»Jeder, der mit Thomas zusammenarbeitet, druckt sie auf die Rückseite seiner Visitenkarten. Es ist eine gute Erinnerung daran, warum man tut, was man tut, und außerdem hebt man sich auf diese Weise ab, wenn man neuen Menschen begegnet. Sie fragen immer, was es bedeutet, und so entwickeln sich häufig wertvolle Gespräche.«

Sonja las, was auf der Rückseite meiner Visitenkarte stand:

JOE POGRETE
Mein ZDE & Meine Big Five for Life

ZDE: Alles zu erleben, was ich mir im Leben wünsche, damit ich lebe, ohne etwas zu bedauern.

BFFL:

W – **W**elt bereisen – mindestens sechs Monate im Jahr.

E – **E**rfolgssong schreiben – einen, der in die Top Ten der Popcharts kommt.

I – **I**nspiration für andere sein – mit meinen Artikeln, Büchern, Vorträgen und indem ich bin, wer ich bin. Etwas bewirken.

S – **S**panisch fließend sprechen lernen.

E – **E**ntwicklung – einmal täglich meinen Körper und Geist trainieren, damit ich mich ständig weiterentwickle.

Wenn Sie oder jemand, den Sie kennen, mir dabei helfen können, meine Big Five zu erfüllen, kontaktieren Sie mich bitte auf der Internetseite:
www.mybigfive.com/pogrete

»Das ist interessant«, sagte Sonja. »Warum steht links das Wort ›WEISE‹?«

»Es ist nur ein kleines Akronym. Das hat mir anfangs geholfen, mich besser an meine Big Five zu erinnern, und ist natürlich auch eine von Thomas' Ideen. Ich habe einige sehr anregende Akronyme bei anderen Leuten gesehen. Bei einem Mann lautet es zum Beispiel ›GROSS‹. Jeden Tag fragt er sich nun, wenn er etwas geplant hat, ob es ihm dabei helfen wird, wahre Größe zu erreichen.«

Sonja lachte. »›Weise‹ ist jedenfalls eine gute Beschreibung dessen, wie Sie heute auf mich gewirkt haben. Ihre Geschichten über Thomas und Katie haben mich inspiriert. Ich werde über meine Big Five nachdenken und prüfen, wie viele Stellen ich in der nächsten Woche in meinem Terminkalender ankreuzen kann.«

Sie reichte mir eine ihrer Visitenkarten. »Meine sind nicht so exotisch«, sagte sie. »Aber wenn ich Sie das nächste Mal sehe, wird das anders sein. Die Idee gefällt mir.«

Sie zog eine weitere Visitenkarte aus ihrer Handtasche und schrieb auf die Rückseite:

Mein ZDE & Meine Big Five for Life

ZDE:

BFFL:

Nr. 1 –

Nr. 2 –

Nr. 3 –

Nr. 4 –

Nr. 5 –

Nachdem ich mein Gepäck abgeholt hatte, ging ich nach draußen und stieg in ein Taxi. *Ich wünschte, ich wäre unter anderen Umständen zurückgekehrt*, dachte ich. Es hatte Spaß gemacht, mich mit Sonja über Thomas und die Dinge, die er mich gelehrt hatte, zu unterhalten. Es machte Spaß, anderen sein Konzept zu vermitteln. Aber es war gar nicht lustig, sich mit der Realität konfrontieren zu müssen, dass er schwer krank war … ja, dass er im Sterben lag.

Während der Taxifahrt in die Stadt rief ich die eingegangenen SMS auf meinem Handy ab. Maggie hatte mir noch in der Nacht geschrieben. »Joe, Thomas ist wieder im Krankenhaus. Er muss sich einigen Tests unterziehen und über Nacht dort bleiben. Komm bitte direkt hierher, wenn du kannst.«

»Meine Pläne haben sich geändert«, sagte ich zu dem Taxifahrer. »Fahren Sie bitte zum Northwestern Memorial Krankenhaus.«

Der Gedanke an das Krankenhaus und daran, dass Thomas sein Leben verlor, erinnerte mich an meinen Freund Clark, der Geschäftsführer in einem der Unternehmen von Thomas war. Wenn Clark merkte, dass seine Mitarbeiter unter Druck standen oder im Stress waren, ließ er häufig seine Lieblingsbemerkung fallen: »Bei uns geht es nicht um Menschenleben.« Als ich nun im Taxi saß, kam mir der Gedanke, dass Thomas und Leute wie Clark, die mit ihm arbeiteten und ihre Leute im Hinblick auf die Big Five for Life einstellten, in Wirklichkeit durchaus Leben retteten.

Wenn Menschen in Führungspositionen ihren Mitarbeitern nicht dabei helfen, ihre Big Five for Life zu verwirklichen, was tun sie dann wirklich? Im Grunde genommen nehmen sie das Leben der Menschen im Austausch gegen Geld. Diese Betrachtung war ziemlich gnadenlos, definitiv keine, bei der man sich wohlfühlt. Wie viele Manager würden wohl gerne über ihr Leben nachdenken und dabei erkennen, dass sie

viel Geld damit hätten verdienen können, anderen bei der Erfüllung ihres Lebens zu helfen, während sie in Wirklichkeit
viel Geld damit verdient hatten, viele Leben zu verschleißen?
Vielleicht ist das eine etwas zu harte Sichtweise, dachte ich.
Aber in gewisser Weise ist auch viel Wahres dran.

15

Manche Leute tun aber auch alles, nur um ein bisschen Aufmerksamkeit zu bekommen«, sagte ich, als ich das Krankenhauszimmer betrat. Maggie hatte mich durch das Fenster erblickt, als ich vor dem Zimmer stand, und mich hereingewunken. Thomas saß halb aufrecht in seinem Bett.

»Und manche Leute tun alles in der Hoffnung, eine Frau kennenzulernen. Sie flüchten sogar nach Spanien«, antwortete eine Stimme. Es war Thomas.

»Ja, denn dort wissen sie nicht, dass ich mit Thomas Derale zusammenarbeite«, erwiderte ich, »und das erhöht meine Chancen.«

Thomas kicherte und streckte mir seine Hand entgegen. »Wie geht's dir, Joe? Wie war's in Spanien?«

Ich schüttelte ihm die Hand und legte meine andere Hand freundschaftlich auf seine Schulter. »Gut war's. Warum hörst du nicht mit der Mitleidstour hier auf und schnappst dir mit Maggie und mir den nächsten Flieger nach Barcelona? Wir könnten mit Rucksäcken die Küste entlangwandern. Ihr beide könntet mir dabei helfen, eine Frau zu finden.«

»Unmöglich«, antwortete Thomas.

Dieses Mal kicherte ich. Thomas griff nach einem Glas Wasser auf dem Nachtkästchen neben seinem Bett, und ich betrachtete ihn genauer. Er war sehr gealtert, seitdem ich ihn vor vier Monaten das letzte Mal gesehen hatte. Maggie erhob sich vom Bett und umarmte mich herzlich. »Danke, dass du gekommen bist, Joe.«

Ich drückte sie fest. »Soll ich ihn aus dem Bett ziehen und etwas durchschütteln oder soll ich ihn noch etwas weiter simulieren lassen?«, fragte ich so laut, dass er es hören konnte.

In Wirklichkeit war ich derjenige, der sich und den anderen etwas vorspielte. Als ich das erste Mal von Spanien aus angerufen hatte, hatte Maggie mir erzählt, wie ernst es um Thomas stand. Ein paar Monate vorher hatte er plötzlich unter heftigen Kopfschmerzen gelitten und an einigen Tagen auch starke Sehstörungen gehabt. Nachdem er eine Woche lang rezeptfreie Medikamente ausprobiert hatte, die Kopfschmerzen aber blieben, suchte er seinen Hausarzt auf.

In der Praxis stellte man fest, dass seine Reflexe langsamer waren als früher. Daher überwies man ihn an Spezialisten im Krankenhaus. Zunächst konnten diese nichts finden. Die Kernspintomografie sah normal aus und mit starken Schmerzmitteln verschwanden die Kopfschmerzen. Die Ärzte empfahlen Thomas, ein paar Tage auszuspannen und dann noch einmal wiederzukommen, um ein paar weitere Tests durchführen zu lassen.

Doch sobald er die Medikamente absetzte, kamen die Kopfschmerzen wieder. Also ging er ins Krankenhaus zurück. Dieses Mal spritzten die Ärzte ihm ein Kontrastmittel und führten dann eine Computertomografie durch. Gesundes Hirngewebe lässt sich mithilfe des Kontrastmittels von krankem abgrenzen. Die CT zeigte einen signifikanten Bereich in Thomas' Okzipitallappen, dem Hinterhauptlappen. Das Gewebe war geschädigt. Thomas hatte einen großen Tumor.

In der darauffolgenden Woche unterzog sich Thomas mehreren Tests und weiteren Scans. Man prüfte seine Reflexe, sein Gedächtnis und seine motorischen Fähigkeiten. An einem Dienstagmorgen erhielt Maggie dann jenen Anruf und die beiden wurden ins Krankenhaus bestellt. Ihr Hausarzt und ein Spezialist empfingen sie. Die Ärzte erklärten ihnen, dass man den Tumor nicht operieren könne. Er hatte sich bereits bis zum Kleinhirn ausgebreitet und sich um das Stammhirn gelegt. Aufgrund seiner Größe und Position schieden sowohl Bestrahlung als auch Chemotherapie aus. Letztlich gab es keine Optionen. Thomas würde sterben.

Als Thomas die Ärzte fragte, wie viel Zeit er noch hätte, bevor die Krankheit ihn völlig lahmlegen würde, antworteten sie ihm, dass sie es nicht genau wüssten. Aber sie schätzten, dass es ungefähr zwei Monate sein würden. Vielleicht etwas mehr. Vielleicht etwas weniger. Keiner konnte es mit Sicherheit vorhersagen.

Zu diesem Zeitpunkt hatte Maggie mich kontaktiert. Und nun waren wir hier.

Ich würde Thomas nicht aus seinem Bett herausziehen und schütteln, bis er gesund war. Und wir drei würden keine Rucksacktour an der spanischen Küste entlang machen. Ich wusste es, wir alle wussten es. Aber ich wusste nicht, was ich sonst sagen sollte.

Ich löste mich aus Maggies Umarmung und sie ergriff Thomas' Hand. »Ich erkundige mich mal, ob sie dich jetzt entlassen – da Joe ja nun hier ist und uns zu Hause unterstützen kann.«

Als sich die Tür hinter ihr geschlossen hatte, wandte ich mich Thomas zu und legte meine Hand wieder auf seine

Schulter. »Als ich zu meiner Reise aufgebrochen bin, hätte ich nicht erwartet, dass wir unser nächstes Gespräch an einem solchen Ort führen würden.« Ich machte eine Kopfbewegung in Richtung Tür. »Wie geht es Maggie? Und wie geht es dir?«

»Sie ist sehr tapfer«, sagte Thomas. »Wir reißen uns beide ziemlich zusammen.« Er hielt inne und starrte eine Weile ins Leere. »Wir sind alle möglichen Optionen durchgegangen, doch es ist nun mal so, wie es ist. Ich werde sterben, Joe. Ich wollte eigentlich gar nicht mehr ins Krankenhaus zurückkehren, aber ein Medikament hat bei mir nicht angeschlagen, deshalb mussten sie gestern einen Test durchführen, um zu prüfen, warum.«

»Was kann ich tun, Thomas? Wie kann ich euch helfen?«

Er lächelte. »Also zunächst einmal danke, dass du gekommen bist. Es tut gut, dich zu sehen. Davon abgesehen wollte ich dich fragen, ob du Lust hättest, für eine Weile bei uns zu wohnen? Auf diese Weise hätten wir die Möglichkeit, Zeit miteinander zu verbringen, zu reden, einiges nachzuholen ...«

Und uns zu verabschieden, dachte ich.

»Außerdem könnte ich deine Unterstützung gebrauchen. Es gibt ein paar unerledigte Dinge, die ich gerne noch abschließen möchte. Ich weiß, dass das vielleicht verrückt klingt, aber es würde mir viel bedeuten.«

Ich nickte. »Natürlich, Thomas«, sagte ich leise.

»Und da wäre noch etwas«, sagte er lächelnd. »Genau so, wie du hier hereingeschneit bist, soll es auch weitergehen, bis es vorbei ist. Wir haben in den letzten Jahren viel miteinander gelacht, Joe. Ich möchte auf keinen Fall in Selbstmitleid versinken und alle anderen mit hineinzuziehen. Maggie und ich haben uns bereits darauf geeinigt. Ich würde diese Vereinbarung gerne auch mit dir treffen.«

Ich nickte wieder. »Du kannst auf mich zählen.« Ich zwang mich zu lächeln und sagte so schwungvoll, wie es mir in diesem Moment möglich war: »Aber wenn das so ist, musst du allmählich aufhören, dich so gehen zu lassen, Thomas. Es ist beinahe Mittag und du bist immer noch im Bett.«

16

Während wir darauf warteten, dass Maggie mit den Entlassungspapieren des Krankenhauses zurückkam, erzählte ich Thomas von meiner Spanienreise sowie von dem Rückflug und dem Gespräch mit Sonja. Ich habe es immer schon erstaunlich gefunden, dass man mit guten Freunden sofort wieder dort anknüpfen kann, wo man aufgehört hat, selbst wenn man sich Monate oder sogar Jahre nicht gesehen hat. Genau so war es mit Thomas.

»Hast du ihr auch erzählt, wie wütend du warst, als ich dir geraten habe, deinem Chef zu sagen, dass er ein Idiot ist?«, fragte er mich.

Ich musste lachen. »Nein, das habe ich ganz vergessen.« Thomas hatte mir diesen Rat eines Morgens gegeben, als ich auf dem Bahnsteig stand und in mein Handy schrie. Als wir in den Zug stiegen, erklärte ich ihm, dass mein Chef ein Idiot sei, der meine Arbeit ständig kontrolliere.

»Liegt es daran, dass er ein Idiot sein will, oder kann er seine Mitarbeiter einfach nicht besser führen?«, fragte mich Thomas. »Hast du ihm gesagt, dass er ein Idiot ist? Falls nicht, solltest du es vielleicht tun.«

»Was soll ich?«

»Es gehören immer zwei dazu, Joe. ›Idiot‹ ist vielleicht

nicht gerade der Ausdruck, den du verwenden solltest. Aber es ist eine Sache, wenn du ihn darauf aufmerksam machst, was dich stört, er sich aber nicht ändert. Dann ist es dein Problem und du musst entweder kündigen oder aufhören dich zu beklagen. Aber es ist etwas ganz anderes, wenn er nicht weiß, was er falsch macht.

Ich sage meinen Leuten immer, dass sie mir Anregungen geben sollen. Wenn sie etwas Interessantes lesen, sollen sie mich darüber informieren. Wenn ich ihnen mein Feedback auf eine andere Art und Weise geben soll, möchte ich es ebenfalls gerne wissen. Wenn meine Mitarbeiter gut sind, kann ich nur gewinnen, so einfach ist das. Wenn ich grundsätzlich nicht damit einverstanden bin, wie sie etwas tun, etwa weil es meinen ethischen Grundüberzeugungen widerspricht oder aus einem anderen gewichtigen Grund, sage ich es ihnen. Ansonsten lasse ich ihnen freie Hand, damit sie die Dinge so erledigen, wie sie es für richtig halten.

Siehst du dir manchmal ein Fußballspiel an, Joe? Stell dir vor, ein Trainer erklärt einem Spitzenfußballer, er müsse ab sofort mit dem linken Fuß spielen, nur um den Trainer zufriedenzustellen. Finde heraus, ob dein Chef sich für Fußball interessiert. Falls das der Fall ist, sag ihm, dass er dich dazu zwingt, mit dem linken Fuß zu spielen, obwohl du mit dem rechten ein Spitzenfußballer bist. Bitte ihn, dich einen Monat lang mit dem rechten Fuß spielen zu lassen. Wenn das Gesamtergebnis danach nicht besser ist, bist du bereit, dich wieder auf seine Methode einzulassen. Und wenn er damit nicht einverstanden ist, dir aber auch nicht erklärt, warum er es anders haben will, oder wenn er vielleicht nur auf einem persönlichen Egotrip ist, solltest du gehen. Wie viel kannst du in deinem Job erreichen, wenn du so einen Chef hast?«

»Was mache ich, wenn er gar nichts von Fußball versteht?«

»Dann solltest du herausfinden, wovon er etwas versteht, und das als Beispiel verwenden.«

Ich blinzelte ein paar Mal und kehrte von der Erinnerung wieder in die Gegenwart zurück.

»Ich frage mich, was wohl aus dem Menschen geworden ist«, sagte ich zu Thomas.

»Welchem Menschen?«

»Dem Kerl, zu dem ich sagen sollte, er sei ein Idiot. Er war wirklich ein schlechter Chef. Er war ein großartiger Verkäufer, aber ein schrecklicher Chef. Sie hätten ihn weiterhin als Vertreter einsetzen sollen.«

»Sie hätten ihm auch etwas über Mitarbeiterführung beibringen können, bevor sie ihn in eine Führungsposition beförderten«, meinte Thomas. »Er bekam diese Stelle doch nur, weil er schon so lange bei dem Unternehmen war, oder? Wie oft hast du so etwas am Anfang deiner beruflichen Laufbahn erlebt?«

»Zu oft«, antwortete ich. »Du hast recht. Er bekam keinerlei Schulung in Mitarbeiterführung. Vorher war er ein Vertreter mit einem großen Verkaufsgebiet, und von einem Tag auf den anderen war er ein Verkaufsleiter, der 60 Menschen unter sich hatte, die tags zuvor noch auf derselben Stufe mit ihm gestanden hatten. Und plötzlich erwartete man von ihm Führungsqualitäten. Du sorgst auf großartige Weise dafür, dass dieses Problem in deinen Unternehmen erst gar nicht entsteht, Thomas.«

»So wie du habe auch ich zu viele Fälle erlebt, in denen es falsch gelaufen ist. Deshalb bemühe ich mich sehr, die Menschen mit ihrem rechten Fuß spielen zu lassen, wenn das ihre Stärke ist. Ich sorge stets dafür, dass es ein Teil der Firmenkultur ist. Manche Menschen möchten keine Chefs sein. Warum sollte man sie in eine solche Position bringen, wenn es gar nicht in ihrem Sinn ist? Und warum sollte man ein System schaffen, bei dem andere auf sie herabsehen, wenn sie die angebotene Stelle nicht annehmen? Das führt nur dazu, dass unzufriedene Menschen für unzufriedene Chefs arbeiten – und somit zu einer sehr niedrigen Produktivität.

Und im umgekehrten Fall, wenn jemand Interesse daran bekundet, eine Führungsposition zu übernehmen, oder der Meinung ist, dass er wahre Führungsqualitäten hat, sorge ich dafür, dass er sich lange genug auf diese Rolle vorbereiten kann, bevor ihm ein entsprechender Posten angeboten wird.«

Ich blickte aus dem Fenster des Krankenhauszimmers. »Thomas, woher weißt du das alles?«

»Was genau meinst du?«

»Du weißt, was erforderlich ist, um ein guter Chef zu sein.«

Er sah mich an. »Warum weißt du es denn?«

»Ich habe es von dir gelernt.«

Er lachte. »Das ist schmeichelhaft. Ich glaube, ich habe dir schon einmal gesagt, dass ich einige entscheidende Erlebnisse am Anfang meines Berufslebens hatte, die mich geprägt haben. Ich habe zudem einige Menschen getroffen, die für mich sehr wichtig waren. Aber das ist eine recht komplizierte Geschichte, die wir uns für einen anderen Tag aufheben sollten.«

Ich wollte ihm sagen, dass uns nicht mehr so viele dieser »anderen Tage« zur Verfügung standen. Dass ich all die Geschichten von ihm hören wollte, die er mir noch nicht erzählt hatte, bevor keine Zeit mehr dafür blieb.

Doch es war *seine* Zeit, die ablief. Daher sagte ich nichts.

»Eine deiner Geschichten habe ich übrigens auf dem Seminar in Spanien verwendet, bei dem ich einen Vortrag gehalten habe.«

»Hast du darauf hingewiesen, dass du die Geschichte von mir hast?«

»Natürlich nicht.«

Thomas schmunzelte. »Sehr gut, dann könnte ich immer noch alles abstreiten. Welche Geschichte war es denn?«

»Es war die Geschichte von der Führungskräftetagung, auf der ein Geschäftsführer erklärte, dass die Abteilungsleiter seiner Meinung nach untereinander konkurrieren sollten.«

Thomas nickte. »Ich habe die Geschichte noch etwas ausgebaut. Die weiteren Details sind mir vor ein paar Monaten eingefallen.«

»Dann lass mal hören.«

»Soll ich dir die lange Version erzählen, damit du sie das nächste Mal so verwenden kannst?«

»Sehr gerne.« Ich lehnte mich in meinem Stuhl zurück und beobachtete Thomas, als er sich im Bett aufsetzte. *Er sollte auf einer Bühne vor Tausenden von Menschen stehen,* dachte ich, *so wie ich ihn häufig gesehen habe. Und nicht in einem kleinen Krankenhausbett liegen. Das ist nicht richtig. Es ist nicht fair.*

Thomas sah mich an. »Hörst du mir überhaupt zu?«

»Oh, entschuldige bitte, ja, schieß los.«

Er schüttelte den Kopf, um so zu tun, als ärgere er sich.

»Wer ist hier der Kranke? Okay, stell dir vor, du stündest auf einer Bühne vor einem großen Publikum. Das Thema des Vortrags lautet: ›Was macht guten Führungsstil aus?‹ Und die Antwort ist – guter Führungsstil lässt sich mit der Pflanzung einer fruchtbaren Papayaplantage vergleichen.«

»Mit einer Papayaplantage?«

»Ja, genau darum geht es. Guter Führungsstil lässt sich mit der erfolgreichen Bewirtschaftung einer Papayaplantage vergleichen.«

Thomas begann seine Geschichte so zu erzählen, als würde er *tatsächlich* auf einer Bühne vor Tausenden von Leuten sprechen.

»Wenn man beginnt, eine Plantage aus Papayabäumen anzulegen, nimmt man Hunderte von Papayasamen und setzt jeweils ein paar davon in einen Pflanzkübel mit fruchtbarer Erde. Man verwendet keine minderwertige Erde, sondern gute Pflanzerde, die viele Nährstoffe enthält. Nachdem man die Samen in die Erde gesetzt hat, gießt man sie alle paar Tage, weil man weiß, dass einige dieser kleinen Samen bei guter Pflege keimen werden. Man trampelt nicht auf den Samen herum, vernachlässigt sie nicht oder behandelt sie auf irgendeine andere Weise schlecht. Vielmehr hegt und pflegt man sie, weil man möchte, dass sie keimen, wachsen und sich schließlich zu starken Papayabäumen entwickeln, die Früchte tragen.

Und siehe da, nach ein paar Wochen erblickt man die ersten Keimlinge. Die Mühe hat sich gelohnt. Zum Teil liegt es an den Dingen, die man getan hat, zum Teil liegt es daran, dass man bestimmte Dinge unterlassen hat, um den Samen nicht zu schaden. Und zum Teil liegt es am Potenzial, das in jedem einzelnen Samen steckt, unabhängig davon, was man selbst tut.

Nach ein paar weiteren Wochen betrachtet man die Kübel und stellt fest, dass die Keimlinge sich tatsächlich zu Pflanzen entwickelt haben. Es sind viele, Dutzende, vielleicht sogar um die Hundert, die allmählich zu Papayabäumen heranwachsen. An diesem Punkt haben alle ungefähr die gleiche Größe, sie sind ein paar Zentimeter hoch.

Innerhalb der nächsten Wochen stellt man fest, dass einige Pflanzen offenbar schneller wachsen als die anderen. Wenn man genau hinsieht, erkennt man, dass die Pflanzen miteinander um Licht und Wasser konkurrieren. Diejenigen, die etwas größere Blätter haben, bekommen nicht nur mehr Sonne und Nährstoffe, sondern rauben sie in gewissem Maße auch den anderen Pflanzen in ihrer Nähe. Und da sie das tun, wachsen sie offenbar schneller.

Wenn man nicht eingreift und den Dingen einfach ihren Lauf lässt, geschieht etwas Interessantes. Die größeren Pflanzen wachsen auf eine Größe von 50 bis 60 Zentimetern heran. Ungefähr ein Viertel der kleineren Pflanzen dagegen geht ein. Es sind diejenigen, die zu wenig Sonne bekommen haben und auch nicht an genügend Nährstoffe herankamen, weil ihre Wurzeln nicht so lang waren wie die der größeren Pflanzen. Und wenn zu diesem Zeitpunkt nichts geschieht – werden auch die restlichen Pflanzen aufhören zu wachsen.

In den Kübeln gibt es nur begrenzt Platz, und irgendwie wissen die Pflanzen das. Deshalb hören sie auf weiterzuwachsen. Mit der Zeit entwickeln einige Pflanzen größere

Blätter als die anderen und erhalten daher mehr Sonnenlicht. Die anderen Pflänzchen verkümmern dann allmählich.

Das Ergebnis all der Mühe, die man investiert hat, sind lediglich ein paar spärlich entwickelte Papayapflanzen, die keine Früchte tragen.

Doch mit nur etwas mehr Einsatz und einigen anderen Entscheidungen während des Wachstumsprozesses lässt sich das Ergebnis dramatisch verändern. Wenn die Pflanzen circa 30 Zentimeter hoch sind, lässt man sie zum Beispiel nicht alle in einem Pflanzkübel stehen, sondern verpflanzt jeweils vier oder fünf von ihnen in neue Behälter. Dort wachsen sie dann weiter. Anders als wenn man sie alle in einem Kübel belässt, wird der Wachstumsprozess hier nicht unterbrochen. Natürlich kommt es vor, dass die eine oder andere Pflanze aus irgendwelchen Gründen nicht überlebt, aber generell wachsen alle weiter.

Dafür ist natürlich etwas Arbeit erforderlich. Man muss sich die Zeit nehmen, um die Pflanzen in neue Kübel mit frischer nährstoffreicher Erde umzutopfen. Aber wenn man das tut, wachsen sie weiter, und man kommt seinem Ziel näher, eine Papayaplantage zu erhalten.

Wenn man die Papayapflanzen nach einem weiteren Monat betrachtet, erkennt man, dass sie zu kleinen Bäumchen herangewachsen sind. Die meisten sind nun circa einen Meter hoch und man sieht, dass sie wieder beginnen, miteinander zu konkurrieren. Wenn man nicht eingreift, wird in jedem Kübel ein Baum anfangen zu dominieren, und alle anderen werden allmählich aufhören zu wachsen oder ganz eingehen.

Daher pflanzt man all die kleinen Bäume zu diesem Zeitpunkt ins Freiland. Sie befinden sich nun zwar nicht mehr in ihrem schützenden Kübel, aber nun haben sie Zugriff auf alles, was die Erde ihnen zu bieten hat. Ihre Wurzeln können so tief nach unten wachsen, wie es ihnen beliebt. Ihre Blätter können groß und breit werden, da das Sonnenlicht sie uneingeschränkt erreicht, außerdem können sie ohne Beschränkung in die Höhe wachsen.

Wenn man die ein Meter großen Papayabäume nach draußen pflanzt, geschieht etwas Interessantes. Wenn man sie sehr vereinzelt pflanzt, sodass sie ganz für sich alleine stehen, werden sie groß und hoch und bekommen breite Blätter. Aber sie entwickeln keine Früchte. Pflanzt man aber einige Pflanzen in einem gewissen Abstand zueinander, sodass sie sich nicht gegenseitig behindern, befruchten sie sich gegenseitig, schenken sich je nach Sonneneinstrahlung Schatten, und der Regen tropft von ihren Blättern auf die Blätter der Nachbarbäume. Aufgrund all dieser Faktoren produzieren sie Früchte, viele Früchte.

Wenn die Bäume auf diese Weise gepflanzt werden, konkurrieren sie nicht mehr miteinander. Sie existieren in einem Zustand der Synergie. Ihre Gegenwart fördert das Wachstum und die Entwicklung der anderen. Und das Ergebnis all dieser Bemühungen sind nicht nur ein paar zu klein geratene Papayabäume, die keine Früchte tragen, sondern man bekommt tatsächlich einen Papayahain. Dutzende von Bäumen, die alle Früchte tragen. Früchte, die schließlich Samen erzeugen, aus denen weitere Papayabäume entstehen können.«

An diesem Punkt kam Thomas zu der Geschichte, die ich angesprochen hatte.

»Vor ein paar Jahren bat man mich, eine Tagung von Führungskräften zu leiten. Geschäftsführer und andere Führungskräfte von Unternehmen aus der ganzen Welt kamen zusammen, um Ideen auszutauschen und voneinander zu lernen. Ich erinnere mich vor allem an eine Veranstaltung, die ich moderierte. Der Geschäftsführer eines Unterhaltungskonzerns erklärte den Zuhörern, dass er die Konkurrenz unter seinen Abteilungsleitern bewusst förderte, um gute Ergebnisse zu erzielen. Er war überzeugt davon, dass sie sich aufgrund der Konkurrenzsituation stärker bei der Arbeit engagierten. Diesem Mann waren 20 Abteilungsleiter direkt unterstellt.

Während einer Pause sprach ich einen davon an. Er war während der Veranstaltung am Vormittag sehr still gewesen. Ich fragte ihn, was er von den Ausführungen seines Chefs hielt. Er sagte mir, dass die Konkurrenzsituation, die dieser geschaffen habe, schrecklich sei.

Die Abteilungsleiter hielten wichtige Informationen voreinander geheim, um ihre persönlichen Ergebnisse zu verbessern. Gute Mitarbeiter wurden häufig nicht befördert, weil das in der Regel zur Folge hatte, dass sie der Abteilung verloren gingen, was die Abteilungsleiter wiederum als Wettbewerbsnachteil empfanden. Denn sie verloren in diesem Fall nicht nur einen guten Mitarbeiter. Vielmehr gewann einer ihrer Konkurrenten auf diese Weise jemanden für seine Abteilung dazu, der sehr viel wusste und sein Wissen in sein neues Team einbringen würde. Der Abteilungsleiter sagte mir, sein Unternehmen sei auf dem Markt so dominant, dass es keine ernstzunehmenden Mitbewerber gebe. Daher kämpften sie innerhalb des Unternehmens gegeneinander.«

Thomas machte eine Pause.

»Der Geschäftsführer ließ all seine Papayapflanzen in einem kleinen Kübel stehen. Er schuf eine Konkurrenzsituation, sodass kein Papayahain entstehen konnte, der zahlreiche Früchte trug.

Ich beobachtete, was mit dem Unternehmen geschah, und blieb mit dem Abteilungsleiter in Kontakt. Innerhalb von zwei Jahren wechselten viele der besten Leute zu einem aufstrebenden Konkurrenzunternehmen in der gleichen Stadt. Weitere zwei Jahre später war die einst dominante Marktposition des Unternehmens bereits erheblich geschwächt, und auch der Abteilungsleiter, mit dem ich gesprochen hatte, kündigte. Als ich ihn fragte, warum er sich dazu entschlossen hatte, erzählte er mir, dass sich die Firmenkultur auch unter den veränderten Vorzeichen nicht geändert hatte. Unter den Mitarbeitern herrschte immer noch ein starker Konkurrenzkampf. Der einzige Unterschied war, dass sie sich nun gegenseitig vorwarfen, für den Markterfolg des Konkurrenten verantwortlich zu sein, und jede Schwäche ihrer Kollegen ausnutzten, um selbst besser dazustehen.«

Thomas machte erneut eine Pause, um dem Ende seiner Geschichte ein besonderes Gewicht zu verleihen.

»Unsere Mitarbeiter sind wie Papayasamen. Als Verantwortliche in Führungspositionen müssen wir uns fragen, was wir wollen. Wenn wir möchten, dass sich ein Hain aus starken, produktiven Führungskräften entwickelt, deren Arbeit nicht nur viele Früchte hervorbringt, sondern die ihrerseits ebenfalls junge Führungspersönlichkeiten hochkommen lassen, dann müssen wir sie fördern. Wir müssen ihnen gute Bedingungen bieten, die ausbaufähig sind. Wir müssen eine Umgebung schaffen, in der sie sich entwickeln können, und nicht etwa ein Umfeld, das ihr Wachstum durch interne Konkurrenzkämpfe hemmt. Wir müssen ihnen Raum bieten, sich zu entfalten, anstatt sie einzuschränken und ihren Enthusiasmus im Keim zu ersticken. Und wenn die Zeit gekommen ist, müssen wir sie aus dem Nährboden, in dem sie groß geworden sind, herausnehmen und ihnen die Chance geben, alleine weiterzuwachsen.

Aber wenn diese Zeit gekommen ist, setzen wir sie nicht irgendwo isoliert in einem Vakuum aus. Wir bieten ihnen eine Umgebung, in der sie und andere Menschen in leitenden Positionen sich gegenseitig befruchten, schützen und fördern. Wir bieten ihnen die Möglichkeit, zusammenzuarbeiten, um ihr wahres Potenzial auszuschöpfen.

Meine sehr geehrten Damen und Herren, dies sind die Dinge, die wir für unsere Mitarbeiter tun müssen. Denn diese Faktoren machen einen großartigen Führungsstil aus.«

Ich sah Thomas an und wollte am liebsten applaudieren. Dann applaudierte ich tatsächlich. »Das war perfekt, Thomas. Einfach perfekt. Wo hast du das her?«

Er lächelte. »Den Teil über den Geschäftsführer kanntest du ja bereits. Du weißt, dass die Geschichte tatsächlich so abgelaufen ist. Der Rest ist mir vor ein paar Monaten eingefallen, als ich einen Papayabaum in meinem Gewächshaus gepflanzt habe. Ich habe einfach beobachtet, was nach und nach passierte, und mir fiel auf, wie viel wir daraus lernen können. Daher habe ich eine Geschichte darüber geschrieben. Ich dachte mir, dass ich sie irgendwann einmal in einer Rede verwenden könnte. Allerdings hatte ich mit einem etwas größeren Publikum gerechnet, nicht nur mit einem Zuhörer«, sagte er mit einem Grinsen.

Ich nickte begeistert. »Du solltest sie unbedingt vor einem größeren Publikum erzählen. Das war wirklich großartig. Wie wäre es zum Beispiel auf der nächsten Tagung in …?« Meine Worte hingen in der Luft. Die nächste Führungskräftetagung fand in vier Monaten statt. Thomas und ich, wir wussten beide, dass er dann nicht mehr leben würde. Als ich ihm zuhörte, hatte ich für einige Augenblicke vergessen, wo ich war und warum ich hier war.

»Es tut mir leid, Thomas …«, sagte ich ernst.

Er lächelte. »Nichts da, Joe. Wir beide haben eine Abmachung, schon vergessen? Du wirst die Rede auf der Tagung halten. Du wirst es wunderbar machen.«

17

Ich ging die Treppen hinunter. Es war noch früh, kurz vor 7 Uhr morgens. Ich hatte die ganze Nacht nicht geschlafen. Schon häufig war ich bei Thomas und Maggie zu Gast gewesen und wir hatten immer eine schöne Zeit miteinander verbracht. Doch der Grund, warum ich mich dieses Mal in ihrem Haus aufhielt, war erdrückend. Das war nicht nur ein Besuch bei Freunden oder der Auftakt zu irgendeinem Abenteuerurlaub.

Als ich in die Küche kam, sah ich Thomas und Maggie zu meiner Überraschung bereits Hand in Hand auf der Terrasse sitzen. Sie lachten. Ich wollte mich gerade wieder zurückziehen, um sie nicht zu stören, da rief Maggie mir zu: »Komm ruhig zu uns nach draußen, Joe!«

Ich ging auf die Terrasse und bestaunte den wunderbaren Garten. Überall blühten bunte Blumen, außerdem gab es viele alte, riesige Eichen. Dort, wo der Garten endete, begann ein Wald. »Ich bin so gerne hier draußen«, sagte ich. »Alles wirkt so friedlich.«

Maggie wandte sich mir zu. »Das war einer der maßgeblichen Gründe, warum wir dieses Haus gekauft haben. Als wir das zweite Mal hier waren, haben wir Rehe im Garten gesehen, und das hat uns letztlich zu unserer Entscheidung bewogen.«

Ich klopfte Thomas freundschaftlich auf die Schulter. »Ihr seid schon ziemlich früh auf den Beinen.«

»Ich weiß. Inzwischen mache ich eigentlich nur noch kurze Nickerchen über den Tag verteilt. Du hast übrigens gerade Josephine verpasst.«

»Josephine? Deine Empfangsdame, die ›Direktorin des ersten Eindrucks‹?«

»Genau. Sie hat das hier vorbeigebracht.« Thomas reichte mir einen Korb mit Blaubeermuffins.

»Die sehen aber köstlich aus.«

»Ich bin erst beim dritten und habe daher noch kein abschließendes Urteil gefällt«, meinte Thomas.

Maggie nahm einen Muffin aus dem Korb. »Seitdem Thomas Josephine von der Diagnose erzählt hat, bringt sie dreimal in der Woche morgens selbst gebackene Sachen vorbei. Außerdem koordiniert sie die übrigen Mahlzeiten. So viele Leute haben uns etwas zu essen gebracht, dass wir gar nicht alles verzehren konnten.«

»Wer hat das Essen denn zubereitet?«, fragte ich.

»Die Leute aus Thomas' Unternehmen.«

Ich dachte darüber nach und war beeindruckt. Thomas war wirklich kein armer Mann. Im Gegenteil, er war überaus wohlhabend. Aber trotzdem gab es Menschen, die in seinen Unternehmen tätig waren und ihm selbst gekochte Mahlzeiten brachten.

Thomas legte seine Serviette ab und griff nach einem weiteren Muffin. »Josephine lässt dich übrigens grüßen. Ich habe ihr erzählt, dass du da bist, und musste ihr versprechen, dich mit der Geschichte aufzuziehen, wie du mich zum ersten Mal im Büro besucht hast.«

»Die Geschichte wird mich wohl ewig verfolgen.«

»Wie kommt es, dass ich sie nicht kenne?«, fragte Maggie.

Thomas sah mich an. »Warum erzählst du sie nicht aus deiner Perspektive?«

Ich lehnte mich in meinem Stuhl zurück und schaute zu Maggie. »Also gut. Du weißt ja, dass Thomas mich bei unserer ersten Begegnung mit der Museumsfrage überfallen hat, oder?«

»Ja, den Teil kenne ich.«

»Danach sahen wir uns ein paar Wochen lang regelmäßig im Zug und hatten einige tolle Gespräche über die Arbeit und das Leben. Unsere Beziehung entwickelte sich allmählich von einer lockeren Bekanntschaft zu einer festen Freundschaft. Eines Morgens, nachdem ich mich mal wieder über meinen Job und meinen Chef beklagt hatte, schlug Thomas vor, uns mal in der Mittagspause in seinem Büro zu treffen.«

Ich sah Thomas an. »Ich glaube, du hast mir damals gesagt, dass ich einmal einen gründlichen Blick auf die andere Seite werfen solle oder so etwas in der Art. Stimmt das so in etwa?«

»Es ist schön zu hören, dass meine Worte dir so wenig bedeutet haben«, frotzelte Thomas. »In Wirklichkeit habe ich dir gesagt, dass deine Einstellung zu deinem Job meiner Meinung nach immer negativer wurde und dir eine andere Perspektive guttun würde.«

»Gut, eine andere Perspektive tat not. Also sagte Thomas zu mir: ›Nimm dir am Freitag doch einfach ein paar Stunden frei und komm zu mir in die Arbeit. Dann besorgen wir uns dort etwas zum Mittagessen.‹ Am Freitag machte ich mich also auf zu der Adresse, die Thomas mir gegeben hatte. Als ich die Empfangshalle betrat, sah ich Josephine. Auf dem Namensschild auf ihrem Tisch stand ›Direktorin des ersten Eindrucks‹. Das hat mir gut gefallen. Ich erklärte ihr, dass ich gerne zu Thomas Derale wolle, aber nicht einmal wüsste, in welcher Abteilung er arbeite. Sie sah mich irritiert an: ›Wie bitte?‹

Also erklärte ich ihr noch einmal, dass ich gerne zu Thomas Derale wolle, aber nicht wüsste, wo genau er arbeite. Sie fragte: ›Thomas Derale?‹ Die Unterhaltung nahm allmählich ziemlich seltsame Züge an und ich dachte, vielleicht bin ich hier falsch. Also sagte ich: ›Ja, ich möchte zu Thomas Derale. Arbeitet er hier?‹ Und Josephine antwortete: ›Sozusagen. Ihm gehört dieses Gebäude. Er ist der Gründer, Inhaber und Vorstandsvorsitzende des Unternehmens. Sind Sie sicher, dass Sie zu ihm wollen?‹ Wenn ich ehrlich bin, war ich mir in diesem Moment nicht mehr ganz so sicher.«

Maggie begann zu lachen. »Hast du ihn wirklich so auflaufen lassen?«, fragte sie Thomas und stieß ihn leicht an.

»Ich kann dir gar nicht sagen, Maggie, wie froh ich bin, dass es keine Videoaufnahme dieses Moments gibt«, sagte ich. »Mein Gesichtsausdruck war mit Sicherheit unbezahlbar. Ich wäre fast umgefallen. Und das war noch nicht das Ende der Unterhaltung. Du musst bedenken, dass ich damals überhaupt nichts darüber wusste, was Thomas macht, geschweige denn einen Schimmer hatte, welche Unternehmen er sonst noch besaß. Also fragte ich Josephine: ›Wie viele Menschen arbeiten denn hier?‹ Zu diesem Zeitpunkt muss sie wohl endgültig gedacht haben, dass bei mir eine Schraube locker war. Sie sah mich an und fragte: ›Meinen Sie in diesem Gebäude oder in all seinen Unternehmen?‹

›All seinen Unternehmen?‹

›Ja, es gibt insgesamt 14 davon.‹

›Wie viele Menschen arbeiten in allen Unternehmen?‹

›Über 12 000 Leute. Die meisten sind hier in Chicago, aber wir haben auch Unternehmen an anderen Standorten auf der Welt.‹«

»Was geschah dann?«, fragte Maggie.

»Netterweise hat Josephine mich nicht hinausgeworfen. Sie rief in Thomas' Büro an und ließ ihm ausrichten, dass ich da war, und das, obwohl ich ziemlich durchgeknallt auf sie gewirkt haben muss.«

Thomas wandte sich mir zu. »Deshalb ist sie so eine gute Direktorin des ersten Eindrucks.«

»Hast du ihr diesen Titel verliehen oder hat sie ihn sich selbst ausgesucht?«, fragte Maggie.

»Ich habe ihn ihr gegeben. Ich sagte ihr, dass sie sich nennen könne, wie sie wolle, aber sie sei nun mal zuständig für den ersten Eindruck, den viele Menschen von dem Unternehmen bekommen. Selbst Millionengeschäfte seien schon daran gescheitert, dass Anrufer nicht zu den richtigen Personen durchgestellt oder nicht freundlich behandelt worden seien. Ich hatte so etwas bereits selbst erlebt und wollte nicht, dass es in meinen Unternehmen passierte.«

»Stimmt das mit den Millionengeschäften?«, fragte ich.

»Ja, es stimmt. Kurz nachdem ich mein erstes Unternehmen gegründet hatte, strebten wir ein Joint Venture mit Anbietern einer neuen Scanningtechnologie an. Zu acht Unternehmen nahm ich Kontakt auf. In drei Fällen verbanden die Rezeptionistinnen mich mit Anrufbeantwortern. Es kam nie ein Rückruf. Bei vier weiteren Unternehmen stellten mich die Rezeptionistinnen entweder mehrfach zu falschen Ansprechpartnern durch oder sagten mir unverblümt, dass sie nicht wüssten, wer der richtige Ansprechpartner sei, ohne mir irgendeine Alternative anzubieten. Mit dem achten Unternehmen kamen wir ins Geschäft. Der Umsatz aus diesem Joint Venture belief sich damals auf 16 Millionen Dollar pro Jahr. Mittlerweile handelt es sich um ein Volumen von jährlich 40 Millionen Dollar.

Das werde ich nie vergessen. Stell dir vor, wie viele Geschäfte den anderen Unternehmen bereits durch die Lappen gegangen sein müssen, weil sie die Bedeutung des ersten Eindrucks nicht richtig einschätzten.«

Maggie wandte sich Thomas zu. »War Josephine nicht diejenige, die das Motto ›Sprechen Sie mit einem Fremden‹ erfand?«

»Ja genau, sie kam auf diese Idee.«

»Ach, das war Josephine?«, hakte ich nach. »Ich habe es stets dir zugeschrieben, Thomas. Als ich zum ersten Mal miterlebte, wie es in die Tat umgesetzt wurde, fand ich es genial. Es war sogar an demselben Tag, über den wir gerade gesprochen haben.«

Thomas stellte sein Saftglas ab. »Der Ruhm dafür gebührt allein Josephine. Eines Tages kam sie zu mir und erzählte vom Telefonat mit einem unserer größten Kunden. Ihr Gesprächspartner hatte ihr gesagt, dass er bei seinen Anrufen immer das Gefühl habe, mit einer Freundin zu sprechen. Ich hatte schon länger darüber nachgedacht, auf welche Weise man veranschaulichen könnte, wie meiner Meinung nach die Beziehungen zu all den Menschen, mit denen wir zu tun haben, aussehen sollten. Josephine hatte nun die Idee, kleine Schilder anfertigen zu lassen, auf denen stand: ›Sprechen Sie mit einem Fremden?‹ Es sollte die Leute daran erinnern, sich darum zu bemühen, ihre Gesprächspartner beim Telefonieren etwas besser kennenzulernen.

Mir war klar, dass gute Beziehungen wichtig sind. Menschen haben auch geschäftlich gerne mit Menschen zu tun, die sie mögen. Wenn wir also bei Telefonaten wie x-beliebige Gesprächspartner eines x-beliebigen Unternehmens wirken würden, dann würden wir nicht besonders auffallen. Und wenn wir nicht auffielen, wären wir leicht zu ersetzen. Ich wünschte mir, dass unsere Leute ein möglichst freundschaftliches Verhältnis zu unseren Kunden, Händlern, Zulieferern und allen anderen Geschäftspartnern aufbauten. Ich erwartete nicht, dass wir dieses Ziel hundertprozentig erreichen würden, aber auch mit 60 oder 70 Prozent wären wir anderen weit voraus gewesen. Die Schilder waren dabei ein wichtiger Schritt und sie funktionierten großartig. Wir verwenden sie immer noch. Außerdem geben wir Essensgutscheine aus, damit unsere Mitarbeiter ihre Geschäftspartner in einem unserer hauseigenen Restaurants zum Mittagessen einladen können, um ihre Beziehung zu vertiefen.«

Thomas schmunzelte. »Manchmal gingen sie dabei weiter, als wir es ursprünglich erwartet hatten. Im Laufe der Jahre kam es zu einigen Hochzeiten von Leuten, deren erste persönliche Begegnung in einem unserer Firmenrestaurants stattgefunden hatte.«

»Habt ihr die Restaurants deshalb eingerichtet?«, fragte ich.

»Nein, das hatten wir schon lange aus verschiedenen Gründen beschlossen. Ich hatte die Leute im Unternehmen um ihre Vorschläge zur Verbesserung des Betriebsklimas gebeten. Dabei entstand auch die Idee, Firmenrestaurants einzurichten. Ich war von Anfang an davon begeistert, schließlich bietet das in vieler Hinsicht Vorteile. Die Restaurants arbeiten kostendeckend und die Mitarbeiter bekommen hier ausgezeichnetes Essen zu günstigeren Preisen, als wenn sie auswärts essen. Daher bleiben sie gerne im Gebäude, was eine größere Produktivität zur Folge hat. Das Essen ist außerdem gesund, und ich bin davon überzeugt, dass wir aus diesem Grund weniger krankheitsbedingte Fehltage haben – wenngleich ich das nie untersucht habe. Und wir haben ein paar schicke Orte, um uns mit unseren Kunden und Geschäftspartnern zu treffen. Wusstest du eigentlich schon, dass Maggie sich um die komplette Gestaltung der Restaurants gekümmert hat?«

»Nein, das wusste ich noch nicht. Dann war Thomas also einer deiner Kunden, Maggie?«

»Ja«, sagte sie, »er hat mir damals lediglich eine Liste gegeben, die seine Leute zusammengestellt hatten, und mir gesagt, ›diese Anforderungen müssen erfüllt werden‹ oder so etwas der Art. Das Projekt hat mir riesigen Spaß gemacht. Es arbeiteten so viele Menschen in dem Unternehmen, dass das Restaurant einfach ein Erfolg werden musste, wenn wir es ihren Wünschen gemäß gestalteten. Ein kleines Restaurant hat vielleicht um die hundert Mittagsgäste oder weniger, doch selbst damals arbeiteten bereits circa tausend Menschen in Thomas' Unternehmen.«

»Wie sahen die Anforderungen denn aus?«

Maggie dachte einen Moment lang nach. »Ich erinnere mich nicht mehr an alle Punkte, aber es waren Dinge, die man im Allgemeinen erwarten würde. Die Preise fürs Mittagessen sollten niedriger sein als in den umliegenden Restaurants. Es sollten Speisen aus verschiedenen Ländern angeboten werden, die Atmosphäre sollte Stil haben und der Service mindestens so schnell sein wie in anderen Restaurants.«

»Diese Ziele habt ihr alle erreicht. Ich kann mich noch gut erinnern, wie ich Thomas dort zum Mittagessen getroffen habe. Ich war erstaunt, dass die Restaurants vom Unternehmen selbst betrieben wurden. Es waren vier nette kleine, unabhängige Restaurants.« Ich wendete mich Thomas zu. »Hattest du bezüglich der Kosten eigentlich keine Bedenken?«

»Nein, wir hatten zwar ein paar Leute im Team, die unter momentanen Anflügen von Linksseititis litten, aber sie überwanden sie schnell wieder, als wir uns die konkreten Zahlen ansahen.«

Ich schmunzelte. »Ja genau, die Linksseititis. An diesem Tag habe ich auch diesen Begriff zum ersten Mal gehört. An diesem Tag gab es viele Dinge, die mir zum ersten Mal begegneten.«

»Das ist mir noch lebhaft im Gedächtnis«, sagte Thomas. »Du bist auf Tim Bankins gestoßen und konntest nicht glauben, dass ich ihm so viele Bücher geschenkt hatte.«

Maggie sah mich fragend an. »Ich glaube, diese Geschichte kenne ich auch noch nicht. Wer ist Tim Bankins?«

»Jetzt ist er der Leiter von Pressco, Thomas' Verlag«, erläuterte ich. »Damals war in seinem Büro eine ganze Wand voll mit Büchern. Während unserer kurzen Begegnung gab mir Josephine einen Anstecker, auf dem Folgendes stand: ›Ich bin ein Besucher, verraten Sie mir Ihre guten Ideen nicht.‹ Dann gab sie die Anweisungen von Thomas an mich weiter. Ich sollte 30 Minuten lang durch das Gebäude gehen und so viele Menschen kennenlernen wie möglich. Beim Herumlaufen merkte ich schnell, dass man dort mit einer Besucherplakette sofort jede Menge Aufmerksamkeit auf sich zieht. Sobald jemand die Plakette sah, stellte er sich mir vor und fragte mich, ob er mir helfen könne. Ich kam mir vor wie ein Rockstar.

Tim war einer der Mitarbeiter, denen ich begegnete. Ich ging gerade an seinem Büro vorbei, als er herauskam. Er stellte sich vor und ich fragte ihn, warum er so viele Bücher in seinem Büro aufbewahrte. Es mussten weit über hundert sein. Er erklärte mir, dass circa 15 mit einer Idee zu tun hatten, an der er gerade arbeitete – daraus wurde schließlich Pressco. Die anderen Bücher waren Geschenke von Thomas. Ich konnte es nicht glauben. Ich war noch verdutzter, als Tim mir erzählte, dass Thomas jedem Mitarbeiter pro Quartal mindestens ein Buch kaufte und manchmal noch ein paar mehr, wenn er auf Bücher stieß, die ihm besonders gefielen.

Als ich Thomas schließlich zum Mittagessen in einem der Restaurants traf, befragte ich ihn dazu. Und in diesem Zusammenhang hörte ich zum ersten Mal den Begriff ›Linksseititis‹.«

Thomas lächelte verschmitzt. »Und weißt du auch noch, was ich dir gesagt habe?«

»Natürlich, ich erinnere mich an all unsere Gespräche. Du hast mir erklärt, dass die meisten Entscheidungen im Leben auf einfacher Mathematik basieren. Ist $K + A < O$? K sind die Kosten, A ist der Aufwand und O ist der Output. Die meisten Menschen bleiben bei K und A hängen und sehen sich das O nie an. Da K und A sich auf der linken Seite der Gleichung befinden, leiden diese Menschen unter Linksseititis.«

»Ich bin beeindruckt, dass meine Worte so gut bei dir hängen geblieben sind, Joe.«

»Ja, das sind sie in der Tat. Und ich habe dieses Prinzip auf den Finde-deine-Erfüllung-Seminaren bereits einige Male dargelegt.«

Maggie sah zu Thomas hinüber. »Aber was hat das mit den Büchern zu tun?«

»Joe konnte nicht verstehen, wie ich es mir leisten konnte, mehr als 46 000 Bücher pro Jahr für meine Mitarbeiter zu kaufen. Also erklärte ich ihm, dass man als Geschäftsführer darauf achten muss, ob K + A < O ist. Die meisten Entscheidungen basieren darauf, wie viel etwas kostet – also auf K. Und viele Menschen konzentrieren sich auf den Aufwand, der für etwas erforderlich ist – das A. Doch ich versuchte Joe zu erklären, dass es mir egal ist, wie viel etwas kostet oder welcher Aufwand dafür erforderlich ist, solange der Output, das O, größer ist als Kosten und Aufwand zusammengenommen. Solange der Output größer ist, lohnt es sich.

Da wir unsere Bücher in hohen Stückzahlen kaufen, räumen uns die Verlage großzügige Rabatte ein. Bei einem durchschnittlichen Preis von zehn Dollar pro Buch geben wir insgesamt fast eine halbe Million Dollar pro Jahr dafür aus. Das mag auf den ersten Blick viel erscheinen. Immerhin sind eine halbe Million Dollar eine halbe Million Dollar. Aber wenn man sich den Output ansieht, muss man nicht viel von Betriebswirtschaft verstehen, um zu erkennen, dass es eine wertvolle Investition ist. Ich wähle gute Bücher aus, die einen unmittelbaren praktischen Nutzen für meine Mitarbeiter haben. Die eigentliche Frage lautet also… ob meine Leute nach der Lektüre der vier Bücher, die ich ihnen kaufe, bessere Entscheidungen treffen. Sind sie um mindestens 40 Dollar produktiver oder haben sie eine Idee, wie sie ihr Team besser führen können, oder können sie Probleme schneller lösen, weil ihnen nach der Lektüre der Bücher bessere Techniken und Methoden zur Verfügung stehen – und ist das vielleicht 40 Dollar oder mehr wert?

Die Antwort lautet: Natürlich ist das der Fall. Ich würde ihnen keine Bücher kaufen, die nicht sofort mindestens 200 Dollar bringen würden. Daher ist der Output größer als die Summe aus K + A und somit ist es eine gute Investition. Außerdem nutzen die Leute die neuen Informationen nicht nur ein Jahr lang. Ich muss nur einmal investieren, aber ich ernte die Früchte, solange diese Leute mit mir arbeiten.«

»Das war an jenem Tag eins meiner großen Aha-Erlebnisse«, sagte ich. »Du hast meine Frage zu den Büchern beantwortet, aber am meisten beeindruckt hat mich, was man aus der Gleichung grundsätzlich folgern kann. Ich erwische mich manchmal immer noch dabei, dass ich bei den Kosten und dem Aufwand einer Sache hängen bleibe und den Output nicht berücksichtige.«

Ich machte eine Pause, um die Dramatik zu steigern. »Und dann höre ich immer deine Stimme in meinem Kopf, Thomas: ›Wenn man ein guter Geschäftsführer, ein guter CEO, sein will, muss man berechnen können, ob K + A < O ist, beziehungsweise, in die Geschäftssprache Englisch übertragen: ob C (cost) + E (effort) < O (output).‹«

Thomas lachte. »Hört sich diese Stimme wirklich wie

meine an oder klingt sie vielleicht eher engelsgleich, wie die eines Schutzengels?«

»Nein, sie klingt eigentlich eher wie eine Mücke. Genau hier, sie summt … und man wird sie einfach nicht mehr los.«

Maggie begann zu lachen und verdrehte kopfschüttelnd die Augen. »Ihr seid vielleicht zwei. Einer schlimmer als der andere.«

Und ein paar Minuten lang vergaßen wir alle, warum wir dieses Mal zusammen waren.

18

Am Nachmittag desselben Tages saß ich auf der Terrasse und las. Thomas hatte sich zurückgezogen, um etwas zu schlafen.

»Danke, dass du da bist, Joe«, sagte Maggie, zog sich einen Stuhl an den kleinen Tisch heran und setzte sich zu mir.

»Das ist doch selbstverständlich. Ich wünschte nur, ich könnte irgendetwas tun. Ich fühle mich etwas hilflos.«

»Allein die Tatsache, dass du hier bist, bedeutet uns sehr viel, Joe. Es ist eine seltsame Zeit, eine seltsame Situation.«

Wir saßen eine Weile schweigend da und beobachteten die Vögel, die in der großen Eiche in der Nähe des Hauses von Ast zu Ast flatterten.

Dann wandte Maggie sich mir zu und sah mich an. »Wahrscheinlich ist es dir noch nicht aufgefallen, aber trotz all seiner Bemühungen schwindet Thomas' Energie schnell. Er versucht es zu verbergen, selbst vor mir, aber ich merke, dass er starke Schmerzen hat und wie sehr er dagegen ankämpft, um sich seine Energie zu bewahren. Als du neulich ins Krankenhaus gekommen bist, hast du ihn sehr aufgebaut. Es liegt daran, dass ihr so gut miteinander herumflachsen und albern sein könnt...« Sie lächelte. »Als er an jenem Tag deine Stimme hörte, hellte sich seine Miene mehr auf als im ganzen letzten Monat. Du musst gar nichts anderes tun.

Allein durch deine Anwesenheit erinnerst du ihn daran, dass er viel mehr ist als nur seine Krankheit. Du hilfst ihm, er selbst zu sein.«

Ich sah Maggie an, dass sie müde war. Nicht nur Thomas musste darum kämpfen, sich seine Energie zu bewahren.

Wir sahen wieder den Vögeln zu.

»Weißt du, Joe, aus irgendeinem Grund, den vielleicht sogar ihr beide nie verstehen werdet, besteht zwischen euch eine starke Bindung. Ich glaube, in gewisser Weise sieht Thomas in dir den Sohn, den er sich gewünscht hätte. Gleichzeitig bist du für ihn sein bester Freund. Und manchmal denke ich, dass er in dir eine jüngere Version seiner selbst sieht.«

Ich nickte. »Als ich ihm erzählte, dass ich mir eine längere Auszeit nehmen würde, um zum ersten Mal in meinem Leben einige Monate mit dem Rucksack durch andere Länder zu reisen, war er völlig begeistert. Ich hätte nie gedacht, dass ein anderer Mensch so positiv darauf reagieren würde, dass ich fortgehe.«

Maggie lachte. »Daran kann ich mich noch gut erinnern. Er hat mir damals alles haarklein berichtet. Dass er wüsste, welch wichtige Entscheidung du getroffen hättest und dass du nun zum ersten Mal eine Ahnung von dem Leben bekommen würdest, von dem du bereits so lange geträumt hättest.

Er wusste auch, dass er dich nur bis zu einem bestimmten Punkt auf der Reise mitnehmen konnte und dass du selbst entscheiden müsstest, ob es wirklich das war, was *du* wolltest.«

Ich nickte zustimmend. Dann saßen wir wieder eine Weile schweigend da.

»Maggie, wie wird es mit Thomas weitergehen?«

Sie antwortete nicht, und als ich zu ihr hinübersah, weinte sie.

»Es tut mir leid, Maggie. Wir müssen nicht darüber sprechen.«

»Schon gut, Joe. Es ist so, wie es ist, und so zu tun, als wäre es anders, hilft mir auch nicht weiter.« Sie wischte sich die Tränen von den Wangen. »Die Ärzte haben uns gesagt, dass es im Laufe der Zeit immer schlimmer wird. Bestenfalls ist es ein allmählich fortschreitender Prozess. Thomas wird Schwierigkeiten mit dem Gleichgewicht bekommen; sein Sehvermögen wird möglicherweise beeinträchtigt, wenn der Tumor stärker gegen das Gehirn drückt. Es ist gut möglich, dass er Krampfanfälle bekommen wird. Die Ärzte meinten, wir müssen damit rechnen, dass sein Körper zwischendurch plötzlich abschaltet.«

Maggie machte eine Pause und atmete tief durch. Wieder rannen Tränen ihre Wangen hinab. »Niemand kann genau sagen, was passieren wird, Joe, aber die Ärzte vermuten, dass er maximal noch vier Wochen zu leben hat.«

19

Ich ging in das Büro von Thomas und setzte mich an seinen Schreibtisch. Seit meinem Gespräch mit Maggie waren ein paar Tage vergangen. Fast eine Woche war ich nun schon hier. Thomas hatte mir sein Büro zur Verfügung gestellt, damit ich ein paar Sachen erledigen konnte. Ich musste einige E-Mails beantworten und Telefonate führen.

Als ich mich im Stuhl zurücklehnte und meinen Blick durch den Raum schweifen ließ, blieb mein Blick an einem Block aus türkisblauen Notizzetteln hängen. Er hatte ein großes Format mit circa 20 Zentimetern Länge und 10 Zentimetern Breite.

Am oberen Rand der Haftnotizen stand in dunklen Buchstaben: »Vom Schreibtisch Thomas Derales – Ihrem Gefährten auf dieser bemerkenswerten Reise.« Ich nahm den Notizblock in die Hand. Ein besonderer Teil von seiner Führungskultur hatte mit diesen Thomas-Derale-Haftnotizen zu tun.

Begonnen hatte alles mit einer einzigen Haftnotiz für eine bestimmte Person. Thomas hatte die Notizzettel ursprünglich für sich selbst herstellen lassen. Er schrieb seine Einfälle und Kommentare und Ideen gerne gleich auf und heftete sie dann direkt auf die entsprechenden Unterlagen. Aber eines Tages hatte er, weil er es witzig fand, einen Dilbert-Comic auf einen Notizzettel kopiert und ihn an den Computer-bildschirm einer Mitarbeiterin geheftet. Unter den Comic hatte er geschrieben: »Danke, dass Sie uns davor bewahren, an diesen Punkt zu kommen.«

Die junge Frau, die diese Nachricht erhielt, war Abteilungsleiterin und hatte eine sehr effektive Lösung für ein IT-Problem entwickelt, mit dem das Unternehmen zuvor zu kämpfen gehabt hatte. Sie reagierte so erfreut auf die Notiz, dass Thomas daraufhin auch ein paar anderen Leuten Nachrichten hinterließ. Manchmal waren es lustige Kommentare, manchmal war es ein Dankeschön. Für Thomas war es einfach ein weiterer Weg, eine Beziehung zu seinen Leuten aufzubauen.

Im Laufe der Zeit entwickelten sich die Notizen zu einem festen Bestandteil der Firmenkultur. Viele Menschen hoben sie auf, sie wussten sie also zu schätzen. Die Notizen wurden so etwas wie Insiderwitze und häufig von Rednern bei Firmenevents erwähnt.

Thomas zufolge entwickelten die Notizen ein gewisses Eigenleben. Daher hatte er immer einen Block dabei, wenn er in seinen Unternehmen unterwegs war.

Ich legte den Notizblock wieder auf den Tisch und schloss den Laptop ans Stromnetz an. Während er hochfuhr, sah ich die Wirtschaftszeitschriften auf Thomas' Schreibtisch durch. Der große Stapel enthielt Ausgaben des *Wall Street Journal*, der *BusinessWeek*, des *Forbes Magazine* ... Aus jeder Zeitschrift ragte eine Haftnotiz heraus.

Vermutlich hatte Thomas interessante Artikel markiert. Ich nahm die oberste Zeitschrift zur Hand und schlug die Seite mit der Haftnotiz auf. Der Titel des Artikels lautete »In vier einfachen Schritten zur Gewinnsteigerung«. Thomas und der Herausgeber der Zeitschrift hatten ihn verfasst.

Ich begann zu lesen.

Einer der häufigsten Fehler von Unternehmen, die ihre Gewinne erhöhen möchten, besteht darin, sich darauf zu konzentrieren, neue Kunden zu gewinnen. In der Regel spiegelt dieses Verhalten die Geschichte des Unternehmens wider. Am Anfang hatte es wahrscheinlich keine oder nur sehr wenige Kunden. Um zu überleben, musste es neue Kunden anwerben. Die Erhöhung der Kundenzahl war daher sinnvoll.

Für Unternehmen, die nicht mehr ums Überleben kämpfen müssen, sondern ihre Rentabilität steigern möchten, ist die Neukundenakquise dagegen nicht die beste Strategie. Studien von Capgemini und der Gartner Group haben gezeigt, dass es je nach Branche drei bis sieben Mal so viel kostet, einen neuen Kunden zu akquirieren, als einen vorhandenen Kunden dazu zu bringen, erneut etwas zu kaufen.

Die größte Chance zur Gewinnsteigerung besteht darin, die Beziehungen zu seinen vorhandenen Kunden zu verbessern. Die folgenden vier Schritte zeigen, wie man das erreicht.

SCHRITT 1:

DIE EIGENEN SÄULEN ERKENNEN UND STÄRKEN

Wissen Sie, welche fünf Kunden jedes Jahr am meisten zu Ihren Gewinnen beitragen? Können Sie sie auswendig nennen? Können alle Mitarbeiter in Ihrem Unterneh-

men sie aufzählen? Falls das nicht der Fall ist, sollten Sie dieses Problem rasch beheben.

Je nach Größe eines Unternehmens kann der Verlust eines der fünf Topkunden ernste bis katastrophale Auswirkungen haben. Diese Kunden sind die tragenden Säulen Ihres Unternehmens. Stellen Sie sich Ihre Firma als eine runde Plattform in einem haifischverseuchten Gewässer vor. Die Plattform wird von fünf kreisförmig angeordneten Säulen getragen. Was passiert, wenn eine oder zwei der Säulen schrumpfen? Und was geschieht, wenn eine komplett wegbricht?

Ein wichtiger Schritt zur Gewinnoptimierung besteht darin, die Säulen zu verstärken. Überlegen Sie, wie viel Zeit in Ihrem Unternehmen für die Kundenbetreuung aufgewendet wird und wie viel jeder Kunde im Einzelnen davon hat. Sind Ihre Säulen die fünf Kunden, die am intensivsten betreut werden?

Wahrscheinlich ist das nicht der Fall. Normalerweise kosten »Problemkunden« am meisten Zeit, dicht gefolgt von den Bemühungen, neue Kunden zu gewinnen. Ändern Sie das! Gestalten Sie Ihre Kundenbetreuung so, dass sie der Bedeutung der jeweiligen Kunden für Ihr Unternehmen entspricht. Verwenden Sie Zeit und Energie, die bisher für die Problemkunden eingesetzt wurden, zur Stärkung der Säulen. Bauen Sie Ihre Beziehungen zu den Säulen so weit aus, dass diese nie wegbrechen werden. Halten Sie Ihre Mitarbeiter dazu an, den Säulen dabei zu helfen, erfolgreich zu sein. Seien Sie Ihren Säulen eine wahre Stütze.

INVENTARISIEREN SIE IHRE PRODUKTE UND DIENSTLEISTUNGEN

Inventarisieren Sie alle Produkte und Dienstleistungen, die Sie derzeit anbieten. Ordnen Sie diese dann der Reihe nach gemäß ihrer Rentabilität an. Anschließend teilen Sie diese in fünf Gruppen ein. Die erste Gruppe sollte die 20 Prozent Ihrer Angebotspalette enthalten, mit denen Sie am meisten Gewinn erwirtschaften. Die zweite Gruppe umfasst die nächsten 20 Prozent und so fort, bis zur fünften Gruppe. Sie enthält die Produkte und Dienstleistungen, die in Bezug auf die Rentabilität die letzten 20 Prozent ausmachen.

Jetzt kommt der interessante Teil: Erstellen Sie eine Tabelle mit Spalten für die Kunden von links nach rechts und Spalten für Produkte und Dienstleistungen von oben nach unten. Tragen Sie Ihre Kunden nacheinander – entsprechend ihrer Bedeutung für Ihren Gewinn – über den Spalten ein. Der wichtigste Kunde sollte über der ersten Spalte stehen und der Kunde mit der geringsten Bedeutung für Ihren Gewinn an letzter Stelle. Die Produkte und Dienstleistungen tragen Sie auf der linken Seite der Tabelle entsprechend ihrer Rentabilität ein. An erster Stelle stehen dabei die gewinnbringendsten Angebote. Wenn die Tabelle fertig ist, kreuzen Sie an, welche Produkte und Dienstleistungen jeweils von welchen Kunden genutzt werden. Das ist Ihre Rentabilitätsübersicht.

Tragen Sie Ihre Kunden entsprechend ihrer Bedeutung für Ihren Gewinn ein. Beginnen Sie mit dem gewinnbringendsten Kunden auf der linken Seite.

Tragen Sie Ihre Produkte und Dienstleistungen entsprechend ihrer Rentabilität ein. Beginnen Sie in der ersten Spalte mit den gewinnbringendsten.

5 Säulen

	Kunde Nr. 1	Kunde Nr. 2	Kunde Nr. 3	Kunde Nr. 4	Kunde Nr. 5	Kunde Nr. 6	Kunde Nr. 7	Kunde Nr. N
Produkt/Dienstleistung Nr. 1								
Produkt/Dienstleistung Nr. 2								
Produkt/Dienstleistung Nr. 3								
Produkt/Dienstleistung Nr. 4								
Produkt/Dienstleistung Nr. 5								
Produkt/Dienstleistung Nr. 6								
Produkt/Dienstleistung Nr. 7								
Produkt/Dienstleistung Nr. N								

SCHRITT 3: DIE LÜCKEN FÜLLEN

Sehen Sie sich Ihre fünf Säulen an. Nutzen diese Kunden Ihre gesamte Produktpalette und sämtliche Dienstleistungen? Alle Felder, die Sie nicht angekreuzt haben, zeigen Möglichkeiten auf, die Beziehung zu einem Kunden auszubauen. Beginnen Sie mit den Produkten und Dienstleistungen, die an erster Stelle stehen und nicht von Ihren Säulen in Anspruch genommen werden, und konzentrieren Sie sich darauf, diese Lücken zu füllen.

Sehen Sie sich dann den Rest der Tabelle an. Welche Felder sind angekreuzt? Wo sind Lücken? Jede Lücke bietet eine Möglichkeit zur Gewinnoptimierung. Beginnen Sie mit den einträglicheren Kunden und versuchen Sie, die Lücken bei diesen mit Produkten und Dienstleistungen mit den Nummern 1 und 2 zu füllen. Informieren Sie die Kunden über Ihre zusätzlichen Angebote. Finden Sie heraus, welche Bedürfnisse sie haben, und ermitteln Sie Wege, diese zu erfüllen. Auf diese Weise fördern Sie zum einen Ihre Kundenbeziehungen, und zum anderen bringen die Kunden Ihnen mehr Gewinn.

SCHRITT 4: LERNEN SIE VON IHREN »FANS«

Während Sie dabei sind, den dritten Schritt umzusetzen, sollten Sie sich die Tabelle noch einmal ansehen. Finden Sie heraus, welche fünf Kunden den größten Anteil Ihrer Produkte und Dienstleistungen nutzen. Das sind die Kunden, die das, was Sie tun, einfach toll finden. Sie können sehr viel von ihnen lernen.

Es gibt einen Grund oder eine ganze Reihe von Gründen, warum diese Kunden Sie so schätzen. Wenn Sie diese Gründe herausfinden, können Sie dieses Wissen im Umgang mit Ihren anderen Kunden nutzen. Vielleicht haben einige Mitarbeiter eine Verkaufsmethode entwickelt, die sehr gut funktioniert. Oder der Kundenservice ist in bestimmten Bereichen des Unternehmens besonders gut. Sie sollten die Gründe jedenfalls unbedingt ermitteln.

Befragen Sie Ihre »Fans« und lernen Sie von ihnen. Wenn sie erklären, dass sie von einer bestimmten Person in Ihrem Unternehmen begeistert sind, sollten Sie mit dieser reden, um herauszufinden, warum es so gut läuft.

Sammeln Sie all diese Informationen und wenden Sie das Gelernte bei Ihren anderen Kunden an. Das Ziel ist, weitere Fans zu gewinnen. Beginnen Sie bei Ihren Säulen und bearbeiten Sie dann nach und nach den Rest der Kundenliste.

Die meisten Organisationen akquirieren ihre Kunden, indem sie ein ganz bestimmtes Bedürfnis befriedigen. Der Schlüssel zur Gewinnsteigerung liegt aber nicht darin, sich darum zu bemühen, neue Kunden dieser Art zu gewinnen. Ermitteln Sie stattdessen Ihre Säulen und stärken Sie diese, damit Ihr Unternehmen gut gestützt wird. Inventarisieren Sie Ihre Angebotspalette, füllen Sie die Lücken und lernen Sie von Ihren Fans. Denn diese vier Schritte sind der richtige Weg zur Gewinnsteigerung.

20

Ich schnappte mir eine andere Zeitschrift. Dieses Mal markierte der Zettel einen Artikel von Thomas mit dem Titel »Werben Sie nicht um die besten Mitarbeiter und Kunden – ziehen Sie sie an«.

Kluge Führungskräfte werben nicht um die besten Mitarbeiter und Kunden, sie ziehen sie an. Warum tun sie das? Weil es ihnen das Leben erleichtert und ihr Unternehmen erfolgreicher macht. Und wie gelingt ihnen das? Ihr Unternehmen hat einen klar definierten Zweck der Existenz (ZDE). Sie erzählen der ganzen Welt davon, sie leben ihn, und die besten Mitarbeiter und Kunden kommen zu ihnen. Sie werben nicht, sie ziehen an.

Der Erfolg dieser Methode basiert auf zwei Prinzipien. Das erste ist eine schlichte Lebensweisheit: »Gleich und gleich gesellt sich gern.« Aus diesem Grund ziehen Zebras in der Herde durch die afrikanische Steppe, schwimmen ähnlich aussehende Fische in Schwärmen umher, und deshalb setzt sich eine größere Menschenmenge aus Untergruppen zusammen, die jeweils aus Individuen mit ähnlichen Merkmalen bestehen. Unternehmer, die den Zweck der Existenz für ihre Firma definiert haben, bringen damit im Wesentlichen Folgendes zum

Ausdruck: »Ich bin ein Zebra und nichts anderes. Wenn
du auch ein Zebra bist, dann komm zu mir in die Steppe
und schließ dich mir an.«

* * *

Ich las den Artikel aufmerksam durch, und als ich gerade mit der Lektüre fertig war, betrat Thomas das Büro.

»Bitte schlag mich nicht, ich habe nichts weggenommen«, scherzte ich.

»Du spielst wohl hierauf an«, sagte er und hob den Stock, auf den er sich gestützt hatte, in die Höhe. »So sehe ich für Maggie doch entschieden eleganter und stylisher aus.«

Zwei Tage zuvor war Thomas schwer gestürzt. Es war genau so, wie Maggie es mir erklärt hatte. Manchmal erlitt Thomas aufgrund des Tumors plötzliche Anfälle, die seinen Gleichgewichtssinn völlig ausschalteten. Seit dem Sturz hatte er stets den Stock bei sich, um sich besser auf den Beinen halten zu können.

Wir beide wussten es und wollten das Thema nicht vertiefen.

Ich deutete auf die Zeitschriften, die ich aufgeschlagen hatte. »Das sind gute Artikel, Thomas.«

»Danke, ich finde auch, dass sie ganz gut gelungen sind.«

»Ich bin überrascht, wie detailliert du die Dinge dargestellt hast.«

»Warum?«

»Na ja, weil deine Methoden und das, was du den Leuten in deinen Unternehmen vermittelst, ein Teil dessen sind, was dein Geschäft so erfolgreich macht. Hattest du keine Bedenken, dass du zu viele Informationen preisgibst?«

Thomas setzte sich mir gegenüber auf einen Stuhl. »Ich habe das mit den Geschäftsführern meiner Unternehmen besprochen. Wie du weißt, tauschen wir uns bei den Führungskräftetagungen immer sehr offen darüber aus, was bei uns gut oder weniger gut funktioniert. Die meisten Teilnehmer kommen aus anderen Unternehmen. Die Geschäftsführer und ich waren der Meinung, dass die Verbreitung einiger Informationen durch Zeitschriften ein guter Weg sein könnte, mehr Menschen zu erreichen.

Ich habe mir Folgendes dabei überlegt: Ich habe viel von anderen Leuten gelernt, weil sie bereit waren, ihr Wissen an mich weiterzugeben. Letztlich geht es um Wissen und seine Umsetzung. Wenn jemand da draußen Führungsqualitäten hat und bereit ist, sich für sein Unternehmen einzusetzen, um was Großes zu schaffen, aber einfach nicht weiß, wie sich die Einnahmen optimieren lassen, wäre es mir lieber, wenn er das Prinzip der fünf Säulen kennt, es anwendet und so auf den richtigen Weg gebracht wird, als wenn er sich umsonst bemüht und das Unternehmen am Ende vielleicht Bankrott macht. Es gibt so viele Möglichkeiten, dass jeder genug Geld verdienen kann.«

Thomas seufzte. »Ich bin mir nicht sicher, Joe, aber als ich diese Artikel vor einem Jahr geschrieben habe, ahnte ich vielleicht schon, was mit mir passieren würde. Wenn man in meiner Situation ist, möchte man alles ordentlich zu Ende bringen. Jemand hat mir einmal einen riesigen Gefallen erwiesen – einen lebensverändernden Gefallen –, weil er sein Wissen an mich weitergegeben hat. Ich habe diesem Menschen versprochen, in meinem Leben das Gleiche zu tun. Jetzt, wo es mit mir zu Ende geht, möchte ich dafür sorgen, dass ich dieses Versprechen wirklich voll und ganz erfülle.

Wenn ich fort bin, wird mir mein Wissen nichts mehr nützen. Aber wenn ich es mit anderen teile, kann es ihnen helfen. Und wenn sie es an andere Menschen weitergeben, überdauert es vielleicht eine lange Zeit, nachdem ich gegangen bin. Die Vorstellung gefällt mir. Auf diese Weise kommt mir mein Leben irgendwie sinnvoller vor.«

21

Ich ging nach draußen in den Garten. Mein Reisetagebuch lag auf dem Terrassentisch. Thomas hatte mich gefragt, ob ich auf meiner Spanienreise eins geführt hatte, und ich hatte es ihm zum Lesen gegeben. Es dort liegen zu sehen, erinnerte mich an ein Gespräch, das wir zu einem frühen Zeitpunkt unserer Freundschaft geführt hatten. Als ich ihn das zweite Mal in seinem Unternehmen besuchte, teilte ich ihm mit, dass ich darüber nachdachte, meinen bevorstehenden Urlaub abzusagen. Er sah mich ungläubig an.

»Weißt du, Joe, es gehört zu den eigenartigsten Dingen im Leben, dass wir glauben, unsterblich zu sein. Wir denken, wir könnten Dinge verschieben, weil wir immer noch Zeit und Gelegenheit dazu haben werden. Aber das ist eine der großen Illusionen des Lebens. Wir denken, wir seien 21 oder 34 oder hätten irgendein anderes Alter, bei dem wir in unserem Kopf aufhören weiterzuzählen. Aber das geht nicht ewig so weiter. An irgendeinem Punkt kommt das Ende.

Man muss tun, was man möchte, solange man es noch kann. Wusstest du eigentlich, dass einer von sechs stirbt, bevor er das Rentenalter erreicht? Und beinahe 30 Prozent von denen, die länger leben, haben früher oder später eine körperliche Einschränkung oder Behinderung. Die Menschen arbeiten 40 oder 50 Jahre lang, damit sie eines Tages in Rente gehen und den Eiffelturm in Frankreich besichtigen, durch den australischen Outback wandern oder den Tower of London besuchen können – und dann kommen sie nicht mehr dazu. Und zu viele von denen, die es dann tatsächlich schaffen, können diese Sehenswürdigkeiten nur von einem Touristenbus aus sehen, weil sie körperlich nicht mehr dazu in der Lage sind, selbst zu laufen.

Wenn man eine Führungsposition hat, reicht es nicht, einmal pro Jahr auf einer Bühne zu stehen oder eine Videobotschaft zu versenden, um sich bei allen Mitarbeitern dafür zu bedanken, dass sie Dinge tun, von denen man in Wirklichkeit überhaupt nichts versteht. Das wäre so, als würden Eltern ihrem Kind nur an seinem Geburtstag sagen, dass sie es lieben, aber das ganze restliche Jahr nichts tun, um es ihm zu zeigen. Es gehört zu einem guten Führungsstil, ein Umfeld zu schaffen, in dem die Menschen erfolgreich sind. Nicht nur einmal pro Jahr und nicht nur, wenn Geld in der Kasse übrig ist. Es geht darum, dieses Umfeld jeden Tag zu schaffen.

Wusstest du, dass bei 95 Prozent der Menschen eine Weltreise zu den Big Five for Life gehört?«

Ich schüttelte den Kopf.

»Es ist tatsächlich so. Wir haben ein eigenes Reisebüro eingerichtet, um unseren Mitarbeitern dabei zu helfen, ihre Traumreise zu machen. Und das nicht erst, wenn sie 65 sind und in Rente gehen, sondern jetzt, ab und zu vielleicht sogar mehr als einmal pro Jahr. Und weißt du was, Joe? Wenn sie zurückkommen, sind sie wesentlich besser drauf als vor ihrer Abreise und bessere Mitarbeiter – und das will wirklich etwas heißen.

Tatsächlich haben wir ihnen zu weitaus mehr verholfen als nur zu anregenden Reiseerlebnissen. Wir haben ihnen dabei geholfen, einen Raum im Museum ihres Lebens einzurichten. Einen schönen Raum, Joe. Einen Raum, den sie für den Rest ihres Lebens gerne besuchen werden. Denn wenn man sich diese Zeit nimmt und alle möglichen Erlebnisse hat, kann sie einem keiner mehr nehmen. Sie gehören einem für immer. Wenn man die Zeit dagegen verstreichen lässt, ist sie für immer verloren. Man kann sie nie mehr zurückholen. Weißt du, wie viel es uns zusätzlich kostet, das Reisebüro zu unterhalten?«

Ich schüttelte erneut den Kopf.

»Nichts.«

»Nichts?«

»K + A < O. Einer meiner Leute unterbreitete mir den Vorschlag, ein Reisebüro zu eröffnen, nachdem er sich eine dreimonatige Auszeit genommen hatte. Jetzt leitet er es zusammen mit fünf Kollegen. Das sind alles Reisefreaks. Sie haben ausgezeichnete Hochschulabschlüsse, beste Referenzen und könnten eine Führungsposition in jedem meiner Unternehmen oder einem anderen Topunternehmen einnehmen. Stattdessen leiten sie diese Abteilung – das Big-Five-for-Life-Reisebüro. Jeder von ihnen arbeitet fünf Monate pro Jahr und hat sieben Monate frei. Die Krankenversicherung läuft allerdings während des ganzen Jahres weiter. Wenn sie nicht hier sind, bereisen sie die ganze Welt, weil sie das am liebsten tun. Nach ihrer Rückkehr helfen sie ihren Kollegen, die Welt zu bereisen, und auch das macht ihnen riesigen Spaß.

Da sie günstige Rabatte von den Fluggesellschaften, Hotels und Autovermietungen erhalten, konnten sie für die Abteilung ein kostendeckendes System entwickeln. Das Reisebüro gehört zu dem Umfeld, das ich mir für meine Leute wünsche. Nicht nur, weil es aus betriebswirtschaftlicher Sicht eine gute Entscheidung ist. Nicht nur, weil es die Mitarbeiter motiviert und sie deshalb produktiver sind. Ich wünsche es mir auch, weil ich als Unternehmer mehr als nur geschäftliche Interessen habe. Jede Führungskraft, egal, in welcher Position sie ist, muss sich auch um das Leben kümmern.

Wir können das eine Weile lang vergessen. Hin und wieder eine Reise verschieben, unsere Freunde und die Familie immer wieder vertrösten … Aber wozu? Ich habe einmal ein Interview gegeben, bei dem der Journalist mich fragte, ob ich eine Lösung gegen das Burn-out-Syndrom von Angestellten wüsste. Er konnte es nicht glauben, als ich ihm sagte, dass es bei uns keine Burn-out-Probleme gibt. Ich erklärte ihm, dass es zum Burn-out kommt, wenn die Leute Überstunden machen, um etwas zu erreichen, was ihnen nicht wirklich wichtig ist. Etwas, das einzig und allein dem Zweck dient, Geld auf ihr Konto zu bringen, damit sie letztlich *aufhören* können, es zu tun.

In meinen Unternehmen ist alles mit dem Zweck der Existenz der Mitarbeiter und den Big Five for Life verknüpft. Durch unsere Tätigkeit sorgen wir dafür, dass unser Leben ein Erfolg ist – genauer: dass es unserer Definition von Erfolg entspricht. Ich möchte keine Mitarbeiter, die ihren Job *mögen*. Ich möchte Leute, die in ihrer Arbeit Erfüllung finden. Wenn man das erreicht, bekommen die Leute kein Burn-out-Syndrom. Sie sind voller Energie.

Energiegeladene Menschen sind produktiv. Menschen mit Burn-out kündigen. Welche von den beiden Gruppen kann anderen wohl dabei helfen, als Führungskraft Erfolg zu haben?« Thomas deutete auf ein Büro, das sich auf der anderen Seite des Gangs befand. »Siehst du den Mann dort drüben mit dem blauen Poloshirt und den grauen Hosen?«

Ich schaute zu dem Büro hinüber und nickte.

»Das ist Chris Lanticks.« Thomas trat aus seinem Büro hinaus und zeigte auf einen seitlich abzweigenden Flur. »Sieh dir das hier mal an.«

Ich ging zu ihm. Der Flur hing voller Fotos. Die Leute, die darauf zu sehen waren, waren offensichtlich im Urlaub.

»Das ist unsere Big-Five-for-Life-Reisewand. Wer will, kann hier Fotos von seinen Reisen aufhängen. Sie sollen andere dazu inspirieren, ihre Reiseträume zu verwirklichen.« Thomas deutete auf ein Foto von Chris. »Das sind Chris und seine Frau in Australien. Sie waren letztes Jahr für sechs Wochen dort.«

»Er hat sechs Wochen Urlaub?«

»Nein, er hat vier Wochen. Aber er hat sich entschieden, seinen Laptop mitzunehmen, sich ein paar Mal in Konferenzen einzuloggen und seine Reise auf diese Weise um zwei Wochen zu verlängern.«

»Wer hat seine Arbeit kontrolliert?«

Thomas lachte. »Er hat sich selbst kontrolliert. Fähige Leute brauchen niemanden, der ihr Verhalten überwacht, Joe. Sie arbeiten nicht deshalb so gut, weil sie kontrolliert werden, sondern weil sie sich mit ihrer Arbeit identifizieren und sie gerne machen.«

22

Drei Wochen waren vergangen, seit ich vorübergehend zu Maggie und Thomas gezogen war. In dieser Zeit hatte ich mitbekommen, dass Thomas einige geschäftliche Dinge per Telefon regelte, aber er war nie mehr in sein Büro in der Stadt gefahren. Maggie erklärte mir, dass es verschiedene Gründe dafür gab. Thomas wollte nicht, dass seine Leute mitbekamen, wie er körperlich abbaute. Außerdem hatte er die meiste Zeit große Schmerzen. Daher war ich überrascht, als er mich eines Nachmittags fragte, ob ich am nächsten Abend Zeit hätte, an einer Veranstaltung teilzunehmen.

»Klar habe ich Zeit. Was gibt es denn morgen Abend?«

»Cindy Ronker hat eine Mach-mich-besser-Sitzung organisiert, bei der sie eine neue Idee vorstellen möchte. Sie hat mich gefragt, ob ich komme. Nachdem ich ihr gesagt habe, dass du gerade hier bist, hat sie dich gleich mit eingeladen.«

»Ich komme sehr gerne mit. MMB-Sitzungen machen immer viel Spaß.« Ich sah Thomas an. Ich zögerte, bevor ich ihm die nächste Frage stellte, tat es dann aber doch. »Bist du sicher, dass es dir nicht zu viel wird? Ich hatte den Eindruck, dass die letzten Tage ziemlich anstrengend für dich waren.«

Maggie hatte mir erzählt, dass Thomas nicht viel schlief. Er versuchte es, aber die Schmerzen waren oft unerträglich. Zudem hatte er aufgrund seiner Gleichgewichtsstörungen im

Liegen oft das Gefühl zu fallen oder als ob sich alles um ihn herum drehte. Seine körperliche Verfassung wurde immer schlechter.

»Ich komme schon klar. Die Ärzte haben mir ein neues Schmerzmittel verschrieben. Ich soll es nicht ständig nehmen, aber wenn ich es zwischendurch anwende, hält die Wirkung zwei bis drei Stunden an.« Thomas lächelte müde. »Ich muss mal raus, Joe. Die letzten drei Tage haben nicht meiner Vorstellung davon entsprochen, wie ich diese Reise beenden möchte. Ich möchte etwas tun. Ich habe die Mach-mich-besser-Sitzungen erfunden. Die morgen wird meine letzte sein und ich möchte sie nicht verpassen.«

Mit dieser Aussage überschritt Thomas eine Schwelle. Bisher hatten wir zwar gewusst, dass er sterben würde. Doch irgendein kleiner Teil von ihm hatte wahrscheinlich noch gehofft, dass sich etwas ändern könnte. Dass er eine kleine Chance habe. So, wie er es mir an jenem Tag in seinem Büro auseinandergesetzt hatte, wollte nun auch er daran glauben, unsterblich zu sein. Doch in den letzten Tagen hatte er sich selbst eingestanden, dass es tatsächlich bald vorbei sein würde.

Mein Handy klingelte und ich schaute auf die angezeigte Rufnummer. Es war Sonja. Seit unserer Begegnung im Flugzeug hatten wir zwei Mal telefoniert. Beide Male hatte sie angerufen, um sich zu erkundigen, wie es Thomas ging. Obwohl sie nur von ihm gehört und ihn auf einem Video gesehen hatte, war sie ehrlich besorgt um ihn. Solch eine Wirkung hatte Thomas auf Menschen.

»Erinnerst du dich an die Frau, von der ich dir erzählt habe? Die ich im Flugzeug kennengelernt habe – Sonja? Ich glaube, es könnte ihr viel bringen, wenn sie an dem MMB teilnehmen würde. Und ich weiß, dass sie dich gerne kennenlernen würde. Was hältst du von der Idee, dass sie uns begleitet?«

Thomas grinste schelmisch. »Wenn ich nicht mehr da bin, wirst du dir deine Rendezvous mit Frauen sowieso selbst organisieren müssen.«

Ich lächelte kopfschüttelnd. »Das interpretiere ich jetzt mal als Ja.«

23

Für den nächsten Abend hatte Thomas einen Chauffeur bestellt, der uns abholte. 20 Minuten später kamen wir bei Sonja an.

»Hallo Thomas«, grüßte sie, als sie einstieg und auf die schwarze Lederbank der Limousine glitt. »Ich bin Sonja. Ich freue mich, Sie kennenzulernen.« Ich setzte mich neben sie und der Fahrer schloss die Tür.

Thomas ergriff Sonjas ausgestreckte Hand mit beiden Händen. »Ich freue mich auch, Sie kennenzulernen, Sonja. Schön, dass Sie uns begleiten.«

Sie sah erst mich an und dann Thomas. »Sind Sie sicher, dass ich Sie nicht störe?«

»Nein, Sie stören uns überhaupt nicht«, antwortete Thomas. »Aber ich hoffe, Joe hat Ihnen gesagt, dass man bei einer Mach-mich-besser-Sitzung nicht nur zuhören kann. Alle Anwesenden müssen aktiv teilnehmen.«

Sonja sah mich überrascht an. »Nein … das hat Joe mir noch nicht eröffnet. Er hat mir sowieso noch nicht viel darüber erzählt, nur dass es eine interessante Veranstaltung sei. Worauf muss ich mich denn einstellen?«

»Erkläre du es ihr, Joe«, sagte Thomas. »Ich schalte mich zwischendurch ein, wenn ich etwas ergänzen möchte.« Kurz zuvor hatte ich bemerkt, dass Thomas sich unter unerwartet aufwallenden Schmerzen gekrümmt hatte. Ich wollte mich gerade erkundigen, wie es ihm gehe, da bewegte er seinen Kopf langsam vor und zurück und deutete auf Sonja.

»In Ordnung«, meinte ich und versuchte enthusiastisch zu klingen. »Dann werde ich mal die Lobrede halten. Sie werden heute an einer Sitzung teilnehmen, die allein auf Thomas Derales Ideen basiert. Er hat das gesamte Konzept des Mach-mich-besser entwickelt, nachdem er gerade sein erstes Unternehmen gegründet hatte. Seitdem ist das MMB zu einem festen Bestandteil der Unternehmenskultur geworden. Wie ich Ihnen bereits am Telefon erklärt habe, entstand jedes von Thomas' 14 Unternehmen aufgrund der Idee eines Mitarbeiters. Alle haben an einem MMB teilgenommen. Heute Abend werden Sie die Präsentation einer Idee miterleben, aus der sich sein 15. Unternehmen entwickeln könnte.«

»Sie werden vielmehr aktiv dabei helfen, Ideen zu entwickeln, aus denen das 15. Unternehmen entstehen könnte«, korrigierte mich Thomas. »Es gibt, wie gesagt, keine Zuhörer, sondern nur Teilnehmer.«

Sonja sah abwechselnd Thomas und mich an. »Worum geht es denn beim heutigen MMB?«

Thomas nickte mir zu und ich fuhr fort: »Erinnern Sie sich an die Big-Five-for-Life-Geschichte, die ich Ihnen im Flugzeug erzählt habe?«

Sonja nickte. »Ja, natürlich.«

»Es handelt sich um eine Weiterentwicklung davon. Ein Prinzip der Big Five for Life lautet: Wenn man weiß, wo man im Leben steht und welche Ziele man erreichen möchte – die eigenen Big Five for Life nämlich –, dann muss man sich eine sehr wichtige Frage stellen.«

»Wie gelingt mir das?«, unterbrach mich Sonja.

»Wir haben ein weiteres Opfer«, sagte Thomas schmunzelnd.

»Ein weiteres Opfer?«, fragte Sonja.

»Ja, Sonja«, sagte ich. »Ich befürchte, Sie sind gerade ein Opfer der *Wie-geht-das-Krankheit* geworden.«

Sonja begann zu lachen. »Der Wie-geht-das-Krankheit?«

»Ganz genau. Ein Schlüssel zur Erfüllung Ihrer Big Five besteht darin, von dort, wo Sie im Moment sind, dahin zu gelangen, wo Sie hinmöchten. Die meisten Menschen beginnen damit, die gleiche Frage zu stellen wie Sie – ›Wie gelingt mir das?‹ Das Problem bei dieser Frage ist, dass man auf alle möglichen unbekannten Hindernisse und Lernkurven stößt. Stellen Sie sich diese einmal als Berge vor. Wenn man die ersten Berge sieht, ist man sehr motiviert und voller Energie. Also kämpft man sich auf der Lernkurve nach oben und überwindet die unbekannten Hindernisse. Aber was geschieht meistens, wenn die Menschen beim dritten Berg angekommen sind?«

»Sie haben keine Lust mehr weiterzuklettern«, sagte Sonja.

»Und was passiert dann?«

»Sie geben auf.«

»Genau«, antwortete ich. » Und damit wird die großartige Idee eines neuen Unternehmens oder eines aufregenden Abenteuers nie umgesetzt. Sie wird nie eine Realität. Und somit fällt sie der Wie-geht-das-Krankheit zum Opfer.«

Sonja schmunzelte. »Wie vermeidet man dann diese furchtbare Seuche?«

»Indem man sich Vorbilder sucht«, sagte ich. »Man wendet sich an Leute, die das, was man selbst tun, sehen oder

136

erleben möchte, bereits getan, gesehen oder erlebt haben –
oder zumindest etwas Ähnliches. Und dann fragt man sie,
wie sie vorgegangen sind. Dann nutzt man diese Informationen, um die Hindernisse im Flug zu überwinden und die
Lernkurven hinaufzustürmen.«

»Und das funktioniert?«

»Sie werden es heute Abend live miterleben«, sagte Thomas mit einem Lächeln.

24

Als unser Chauffeur vor einem großen Gebäude langsamer wurde, sah Sonja hinaus, um es genauer in Augenschein zu nehmen. »Ist das Ihr Hauptsitz, Thomas?«

»Nein«, antwortete er. »Das ist eins der Tochterunternehmen. Aber Sie haben recht: Normalerweise finden die MMBs im Hauptsitz statt. Ich weiß nicht, warum man sich entschieden hat, die heutige Veranstaltung hier abzuhalten.«

Als die Limousine anhielt, stiegen Sonja und ich aus. Thomas folgte uns langsam. Er hatte seinen Stock dabei. »Sehe ich elegant aus?«, fragte er mich und hob den Stock leicht an.

»Du siehst umwerfend aus«, antwortete ich. »Wenn Maggie hier wäre, könnte sie sich bestimmt gar nicht sattsehen an dir.«

Die Rezeptionistin begrüßte uns mit einem Lächeln.

»Hallo Thomas«, sagte sie herzlich, kam hinter dem Empfangsbereich hervor und nahm ihn in die Arme. »Ich bin noch hiergeblieben, weil ich dich gerne sehen wollte.«

»Hallo Emily«, antwortete Thomas. Er machte Sonja und Emily miteinander bekannt. »Emily ist seit dem Gründungstag dieser Firma vor zehn Jahren hier. Sie hält alles am Laufen.«

Emily lächelte und hakte Thomas unter. »Da du immer noch den Charmeur spielst, lass mich dich zur MMB-Sitzung begleiten. Ganz ehrlich, Thomas, ich glaube, die Leute werden die Krankheit kaum bemerken.«

»Mal sehen«, antwortete er. »Ich glaube, ich kann es eine Weile überspielen.«

Sonja und ich gingen hinter den beiden her, während Emily und Thomas weiterhin miteinander herumalberten.

»Haben alle Mitarbeiter von Thomas ein so gutes Verhältnis zu ihm?«, fragte mich Sonja überrascht.

»So ziemlich«, antwortete ich. »Thomas ist der Meinung, dass die Welt ein besserer Ort wäre, wenn sich alle beim Vornamen nennen würden.«

»Aber das alleine ist es nicht«, sagte Sonja. »Er ist der Chef all dieser Unternehmen, und Emily ist Rezeptionistin. So wie sie miteinander scherzen, würde man meinen, dass sie Nachbarn sind oder alte Freunde.«

»So ist Thomas. Wenn Sie ihn danach fragen würden, würde er Ihnen antworten, dass sie alte Freunde *sind*. Sie hat schließlich zehn Jahre ihres Lebens in dieser Firma verbracht.«

»Sie wird aber dafür bezahlt, oder?«

»Natürlich.«

»Aber ...«

»Wahrscheinlich kommt es Ihnen extrem vor, Sonja. Als ich zum ersten Mal erlebt habe, wie es ist, durch eines von Thomas' Unternehmen zu gehen, wirkte es jedenfalls ziemlich extrem auf mich. Er hat sein Leben nach dem Motto gestaltet: Je besser es in meinen Unternehmen läuft, desto mehr wird mein persönlicher Zweck der Existenz erfüllt. Aus seiner Perspektive hilft ihm daher jeder, der täglich auftaucht und mit ihm zusammenarbeitet, seinen ZDE zu erfüllen.

Sicher werden alle bezahlt. Sicher erfüllen sie dabei auch ihren eigenen Zweck der Existenz und ihre Big Five for Life, sonst hätten sie den Job gar nicht bekommen. Aber Thomas vergisst nie, dass sie stets eine Wahl haben. Und sie haben sich dafür entschieden, hier zu sein. Daher gibt er ihnen das Gefühl, willkommen zu sein, und bedankt sich stets bei ihnen, dass sie ihm helfen, seinen ZDE zu erfüllen.«

Sonja sah nach vorn zu Emily. »Sie kennen nicht zufällig ihre Big Five for Life, oder?«

»Dazu kann ich Ihnen sogar eine ziemlich beeindruckende Geschichte erzählen, auch wenn ich mich nicht mehr an alle Details erinnere. Vor zehn Jahren schrieb Emily einen Brief an Thomas, von dem sie durch ein Zeitungsinterview erfahren hatte. Sie sei alleinerziehend, erzählte sie. Ihre Tochter und ihr Schwiegersohn waren bei einem Autounfall ums Leben gekommen. Der Bericht über den Unfall stand in der gleichen Ausgabe wie das Interview mit Thomas.

Ihre achtjährige Enkelin hatte den Unfall überlebt und wurde nun von ihr großgezogen. Weiter schrieb Emily, dass sie einen schrecklichen Job und einen furchtbaren Chef habe und nicht wisse, was sie tun solle. Sie beschrieb ihre Big Five for Life. Unter anderem wollte sie Menschen glücklich machen, es ihrer Enkelin ermöglichen, auf das College zu gehen, und sie jeden Tag gut aufgehoben und betreut wissen.«

»Und, hat Thomas sie eingestellt?«

»Nein, zunächst mal hat er sie höchstpersönlich angerufen und zum Mittagessen in ein Restaurant des Unternehmens eingeladen. Ein Chauffeur holte sie ab. Während des Essens ging Thomas ihren ZDE und ihre Big Five for Life mit ihr durch. Und als sie damit fertig waren, sagte er ihr, dass er sie sich sehr gut als Direktorin des ersten Eindrucks in dem gerade gegründeten Unternehmen vorstellen könne. Er könne ihr den Job zwar noch nicht versprechen, weil die Entscheidung bei Kerry Dobsin, der künftigen Geschäftsführerin liege, aber er würde einen Termin mit ihr vereinbaren. Und das tat er dann auch.«

»Und dann wurde sie eingestellt.«

»Ja, das wurde sie. Und dann setzten sich Thomas, Kerry und Emily zusammen und organisierten eine Nachmittagsbetreuung für die Kinder von Mitarbeitern. Dorthin konnten die Kinder nach der Schule gehen, um zum Beispiel ihre Hausaufgaben zu machen. Emily konnte also jeden Tag Menschen glücklich machen, indem sie für einen positiven ersten Eindruck sorgte, den Menschen von dem neuen Unternehmen erhielten. Zudem bekam sie ein Gehalt, mit dem sie später die Collegegebühren für ihre Enkelin bezahlen konnte, und in der Nachmittagsbetreuung wusste sie ihre Enkelin nach der Schule gut aufgehoben.«

Sonja nickte. »Ist Kerry immer noch Geschäftsführerin des Unternehmens?«

»Nein, sie leitet mittlerweile eine übergeordnete Organisation, die alle Unternehmen miteinander verbindet. Sie ist heute wahrscheinlich auch hier. Ich werde sie Ihnen vorstellen.«

Sonja sah mich nachdenklich an. »Ich möchte nicht zynisch klingen, Joe … aber … all die Dinge, die Thomas und Kerry für Emily getan haben. Hatten sie nichts Wichtigeres zu tun? Er ist der Inhaber wie vieler Unternehmen? Und sie war immerhin die Geschäftsführerin eines der Unternehmen.«

»So ist Thomas nun mal«, antwortete ich. »Und weil Thomas so ist und das der Unternehmenskultur entspricht, die er geschaffen hat, ist es auch Kerrys Art. Glauben Sie mir, Emily ist eine hervorragende Direktorin des ersten Eindrucks, und ich bin sicher, Sie könnten überschlagen, wie viele neue Kunden das dem Unternehmen gebracht hat und was das finanziell bedeutet – und somit, ob sich Thomas' Zeit letztlich gelohnt hat. Wahrscheinlich könnten Sie auch ausrechnen, ob sich die Nachmittagsbetreuung rentiert. Ich bin sicher, dass die Eltern sich dadurch viel weniger Sorgen um ihre Kinder machen. Das führt auch zu weniger Fehlzeiten bei den Mitarbeitern, sodass es insgesamt zu einer höheren Produktivität und somit zu größeren Gewinnen kommt.

Aber wenn Sie Thomas und Kerry fragen würden – da bin ich mir ganz sicher –, würden sie Ihnen sagen, dass erfolgreiche Führungskräfte sich von der Vorstellung verabschieden sollten, dass sich alles ums Geschäftliche dreht. Sie erkennen vielmehr, dass es auch ums Leben geht. Und genau deshalb kommt es dann zu guten finanziellen Ergebnissen.«

25

Sonja und ich schlossen zu Thomas und Emily auf, als sie gerade die Tür des Konferenzraums erreichten.

»Das hört sich ja nach einer Party an«, meinte Sonja.

Es klang tatsächlich so, als wäre eine Party im Gange. Man hörte Musik und Menschen, die lachten und sich angeregt miteinander unterhielten.

»MMBs sind eigentlich immer wie eine Party«, erklärte ich.

Als ich die Tür zum Saal öffnete, gab es ein großes Hallo. Thomas wurde sofort von den Männern und Frauen im Saal begrüßt. Sie kamen lachend auf ihn zu, umarmten ihn, gaben ihm die Hand und scherzten mit ihm.

Ich wandte mich Sonja zu. »Das meinte ich, als ich sagte, es gehe nicht nur ums Geschäft. Diese Leute sind mehr als Angestellte. Sie sind Reisegefährten, die sich auf ihren sehr ähnlichen Reisen begleiten.«

Sonja und ich blieben an der Tür stehen, und ich ließ ihr Zeit, die Szenerie zu beobachten. Wir befanden uns in einer Art Aula. Vorne im Saal waren rechts und links zwei große Leinwände aufgebaut. Davor waren Stühle in einem Halbkreis auf einem leicht ansteigenden Podest angeordnet. Auf der rechten Leinwand war ein Trickfilm zu sehen. Jemand hatte ein Porträt von Thomas auf eine Tierfigur in Khakikleidung montiert. Die Figur lief im Dschungel umher und schaute fortwährend suchend hinter Felsen und Bäume. Alle paar Sekunden tauchte ein Löwe, ein Elefant oder ein anderes Tier auf. Am oberen Bildrand war zu lesen: »Thomas auf der Suche nach seinen Big Five for Life.«

Sonja tippte mir auf die Schulter und deutete auf die Leinwand. »Worum geht es da?«, fragte sie.

Ich lachte. »Die Idee der Big Five for Life stammt ursprünglich aus dem Buch, von dem ich Ihnen erzählt habe. Das Buch, das von dem jungen Mann und Ma Ma Gombe handelt. Die Geschichte spielt in Afrika.«

»Und worum geht es dort?«, wollte Sonja wissen und deutete auf die linke Leinwand.

Dort wanderte unter der Überschrift »Wo um alles in der Welt steckt Joe Pogrete?« eine Zeichentrickfigur auf einer riesigen Weltkarte umher. Ein kreativer Mensch hatte ein Bild von meinem Gesicht auf die Comicfigur montiert. Alle paar Sekunden sprang sie auf und ab, machte einen Hampelmann und sagte: »Hier ist Joe Pogrete. Ich bin im Moment nicht im Büro erreichbar … Hier ist Joe Pogrete. Ich bin im Moment nicht im Büro erreichbar …«

»Entschuldige bitte, Joe, aber wir konnten nicht widerstehen, als wir hörten, dass du von einem deiner viermonatigen Sabbaticals zu uns zurückgekehrt bist«, sagte eine Stimme.

Ich drehte mich um und sah Kerry Dobsin. Sie umarmte Thomas und kam dann zu mir, um mich ebenfalls mit einer Umarmung zu begrüßen.

»Ich nehme an, ihr habt das direkt von meinem Anrufbeantworter überspielt?«, fragte ich sie lachend.

»So ist es«, sagte Kerry. »Du hast es uns sehr leicht gemacht.«

Ich stellte Kerry und Sonja einander vor. Nach einer kurzen Unterhaltung fragte Kerry mich: »Was hältst du davon, wenn Thomas und ich Sonja mit ein paar Leuten bekannt machen, damit du dich etwas vorbereiten kannst?«

»Worauf soll ich mich denn vorbereiten?«, fragte ich.

»Na ja, normalerweise hätte ich die Veranstaltung geleitet, aber wenn du schon mal da bist ...«

Ich schmunzelte. »Na wunderbar. Und ich bekomme ganze 15 Minuten, um mich vorzubereiten?«

Kerry sah mich verschmitzt an. »Ach komm schon, Joe. Dafür wirst du schließlich so gut bezahlt.« Sie wandte sich Sonja zu. »Diese Veranstaltung findet normalerweise zur Zeit der Führungskräftetagung statt. Joe hat in den letzten vier Jahren fast jedes MMB geleitet. Wenn er 15 Minuten für die Vorbereitung hat, sind das wahrscheinlich zehn Minuten mehr, als er braucht. Sie können sich auf ein besonderes Vergnügen freuen.«

Während Kerry Sonja den circa 20 anderen Leuten vorstellte, sah ich mich im Saal um. Thomas stand auf seinen Stock gestützt und unterhielt sich mit einer kleinen Gruppe von Leuten. Ich hatte den Eindruck, dass er okay war. Er wirkte müde, aber sonst schien alles in Ordnung zu sein. Die Organisatorin des MMB informierte mich über die Themen des Abends. Dann ging ich zum Mikrophon und klopfte ein paar Mal sanft dagegen. »Bitte nehmen Sie Ihre Plätze ein. Dies ist keine erzieherische Übung. Ich wiederhole. Dies ist keine erzieherische Übung.« Einige Leute im Saal lachten und alle ließen sich in den vorderen Reihen nieder.

Dann wurde es still im Saal. »Guten Abend, alle zusammen«, begann ich. »Ich heiße Sie herzlich zum heutigen MMB willkommen. Die meisten von Ihnen wissen zwar genau, wie ein MMB funktioniert, weil sie schon an vielen teilgenommen haben. Aber da ein paar Leute heute zum ersten Mal hier sind, möchte ich den Ablauf kurz erläutern. Alle sechs Monate – und bei Bedarf auch öfter – treffen sich die Geschäftsführer aller Unternehmen von Thomas, um einem Kollegen oder einer Kollegin dabei zu helfen, eine neue Idee zu verbessern. Deshalb heißt diese Veranstaltung MMB – Mach mich besser. Manchmal handelt es sich um eine Produktidee, manchmal um eine neue Dienstleistung und manchmal um Verbesserungen von bestimmten Arbeitsabläufen. Jede Idee, die ein großes Potenzial verspricht, kann hier vorgestellt werden. Wie die meisten von Ihnen wissen, kann es sich auch um die Idee zur Gründung eines neues Unternehmens handeln.

Der Ablauf der Veranstaltung ist einfach. Die Person, die eine Idee vorstellt, hat 20 Minuten Zeit für die Präsentation. Die Gruppe hat dann die Aufgabe, die Idee zu verbessern. Sie soll Möglichkeiten und Chancen erkennen, die nicht erwähnt wurden – zum Beispiel welche Märkte für die Idee gut geeignet wären, wie man ein Produkt oder eine Dienstleistung verbessern könnte, welche Mängel sie haben könnten oder wie das eigene Unternehmen oder deren Kunden von der Idee profitieren könnten. Wir alle haben Scheuklappen, doch jeder von uns hat andere. Was für die eine Person ein Hindernis sein kann, sieht jemand anderer als Chance.

Jeder sollte sich darüber bewusst sein, dass das Ziel darin besteht, eine Idee zu verbessern – und nicht, sie niederzumachen. Wenn Sie also ein Problem sehen, sollten Sie es erläutern und mögliche Alternativen vorschlagen. Keiner sollte negative Bemerkungen machen. Sobald dieser Teil abgeschlossen ist, prüft die Person, von der die Idee stammt, ob es noch Mängel oder Schwachpunkte gibt, und versucht, sie zu beheben.«

Daraufhin stellte ich den Präsentator des heutigen Abends vor. Es handelte sich um einen 28-jährigen Abteilungsleiter. Seine Idee hatte er zunächst mit Cindy Ronker besprochen, der Geschäftsführerin des Unternehmens, in dem er arbeitete. Cindy gefiel die Idee, daher hatte sie ihren Mitarbeiter hierher mitgenommen. In den nächsten 20 Minuten erläuterte dieser sein Konzept. Er hatte sich gut vorbereitet; die Präsentation war gut durchdacht und seine Analysen waren fundiert. Außerdem machte er keinen Hehl daraus, was er wusste und wo er Hilfe benötigte. Während seiner Präsentation machten sich alle Zuhörer Notizen und schrieben eigene Ideen auf, einschließlich Sonja.

»Hervorragend«, sagte ich, nachdem der Abteilungsleiter geendet hatte und der Applaus nachließ. »Eine tolle Idee und eine großartige Präsentation.« Ich wandte mich dem Publikum zu. »Nun wollen wir ihm helfen, seine Idee zu verbessern. Wer möchte etwas dazu sagen?«

Sofort hoben viele Leute im Saal ihre Hand. Ich rief eine Person auf.

»Ja bitte, Chris.«

»Sie könnten den Markt erweitern und Frauen unter 30 Jahren ansprechen, wenn Sie ...«

Eine andere Hand wurde gehoben.

»Stephanie.«

»Wenn Sie den von Ihnen beschriebenen Markt erobern möchten, könnten wir Ihnen dafür 40 000 Namen und Adressen aus unserer Werbekampagne zur Verfügung stellen …«

Eine weitere Hand ging nach oben.

»Mike bitte.«

»Die geschätzte Marktdurchdringung könnte zu hoch sein. Wir haben etwas Ähnliches gemacht und damit nur vier Prozent erreicht. Sie könnten aber Folgendes versuchen …«

Zweieinhalb Stunden lang arbeiteten die Menschen im Saal zusammen, um die ursprüngliche Idee zu verbessern. Nach einer Stunde waren sie bereits dabei, ihre eigenen Verbesserungsvorschläge zu optimieren. Am Ende der Veranstaltung hatten sie sechs Schwachpunkte identifiziert und Lösungen dafür entwickelt, vier wichtige Verbesserungsvorschläge konkret ausgearbeitet, und acht Geschäftsführer hatten Möglichkeiten gesehen, wie sie mit der Idee ihren eigenen Kundenstamm ansprechen und das Vorhaben auf diese Weise unterstützen konnten.

Für einen Außenstehenden hätte die Veranstaltung eher wie eine Party gewirkt. Sie machte Spaß, es wurde viel gelacht und herumgealbert. Aber die Teilnehmer arbeiteten gleichzeitig intensiv zusammen. Und nach zweieinhalb Stunden hatten sie die Idee wahrscheinlich weiter vorangebracht, als der junge Abteilungsleiter es alleine in einem Jahr geschafft hätte.

26

Nachdem das MMB vorbei war und sich alle voneinander verabschiedet hatten, stiegen Sonja, Thomas und ich wieder in die Limousine.

Sonja sagte zu Thomas: »Das war beeindruckend, sehr beeindruckend. So etwas habe ich noch nie erlebt.«

»Danke, Sonja. Es freut mich, dass es Ihnen gefallen hat. Und ich bin froh, dass Sie teilgenommen haben.« Dann fügte Thomas hinzu: »Dir danke ich auch, Joe. Wie immer hast du den Prozess wunderbar in Gang gebracht und dazu beigetragen, die Idee zu verbessern.«

»Das finde ich auch, Joe«, sagte Sonja. »Es hat Spaß gemacht, Sie auf der Bühne zu sehen. Sie waren in Ihrem Element.«

Ich lachte. »Das habe ich Thomas zu verdanken. Wie ich bereits im Flugzeug erwähnt habe, hat er mir geholfen herauszufinden, was am besten zu meinem ZDE und meinen Big Five for Life passt.«

Thomas wandte sich an Sonja: »Was Sie heute Abend erlebt haben, war das erste von vier MMBs, die der junge Abteilungsleiter mitmachen wird. Im Lauf der nächsten sechs Monate wird er an einer ähnlichen Veranstaltung mit Menschen aus verschiedenen Bereichen unserer Unternehmen teilnehmen und danach wird er das Ganze mit einer Gruppe von potenziellen Kunden durchspielen. Am Ende findet dann noch einmal eine Abschlussrunde mit den Führungskräften statt.«

»Wie wählen Sie die Teilnehmer aus?«, fragte Sonja.

»Wir lassen das Los entscheiden. Es melden sich immer so viele Freiwillige, dass wir nach dem Zufallsprinzip 20 Personen für die drei weiteren MMBs auswählen. Sie finden tagsüber statt.«

Sonja sah uns beide an. »Ich kann immer noch nicht glauben, wie die Führungskräfte kooperiert haben. Dort, wo ich arbeite, würde man so etwas nicht erleben.«

»Der Führungsstil überträgt sich nach unten«, sagte Thomas. »Ich habe es nie toleriert, wenn Leute nicht zusammengearbeitet haben. Es ist schlecht für die Stimmung am Arbeitsplatz, schlecht für die Produktivität und generell schlecht fürs Geschäft.« Er kicherte. »Außerdem macht es keinen Spaß. Die Energie, das Gelächter und die Begeisterung, die Sie heute Abend erlebt haben, gab es auch schon in meinem ersten Unternehmen, als nur ich und zwei andere Leute dort arbeiteten.«

»Also liegt es nur am Betriebsklima?«, fragte Sonja.

»Das spielt eine große Rolle, aber es ist mehr als das«, antwortete Thomas.

»All die Führungskräfte kommen zu den MMBs, weil eine Hand die andere wäscht. Die ursprüngliche Idee für ihre eigenen Unternehmen wurde genau dem gleichen Prozess unterzogen. Ohne ihn wären sie nicht dorthin gekommen, wo sie heute stehen. Sie nehmen also gerne teil, weil sie etwas zurückgeben möchten. Außerdem bekommen sie bei den Veranstaltungen viele Anregungen für ihr eigenes Unternehmen. Und wie Sie heute Abend gesehen haben, ergeben sich in vielen Fällen neue Partnerschaften.«

Sonja blickte zu Thomas. »Auf diese Weise wurden alle Ihre Unternehmen gegründet?«

»Es ist ein Teil des Gründungsprozesses. Alle Geschäftsführer hatten irgendwann eine Idee, die sie in einer MMB-Sitzung vorstellten. Die Idee wurde weiterentwickelt und verbessert und schließlich entschlossen wir uns, ein Unternehmen zu gründen.«

Sonja nickte. »Warum gründeten Sie dafür neue Unternehmen? Warum schufen Sie keine neuen Firmenzweige innerhalb Ihres ersten Unternehmens?«

»Aus verschiedenen Gründen. In einigen Fällen war es sinnvoller, eine neue Marke zu schaffen. In anderen Fällen waren es rechtliche Gründe, zum Beispiel, wenn wir die Haftung beschränken wollten. Doch in erster Linie entschied ich mich dazu, weil ich meinen Leuten beibringe zu führen. Und ab einem bestimmten Punkt wollen gute Führungskräfte die Leitung übernehmen. Sie wollen nicht nur einem Unternehmenszweig vorstehen, sondern als Geschäftsführer die Entscheidungen auf höchster Ebene fällen.

In der Zeit, als ich nur ein Unternehmen hatte, spürte ich, dass ein paar meiner Führungskräfte diesen Punkt nach ein paar Jahren erreicht haben würden. Also trafen wir uns zu einem zweitägigen, sehr offenen und ehrlichen MMB, um uns über Führungsfragen auszutauschen. Ich sagte meinen Leuten, dass ich sie nicht verlieren, aber auch nicht bremsen wolle. Und sie sagten mir, dass sie das Unternehmen nicht verlassen wollten, weil sie es voller Begeisterung mit aufgebaut hatten und sich als Teil davon empfanden. Aber gleichzeitig wünschten sie sich auch, die Chance zu bekommen, als Unternehmensleiter die volle Verantwortung zu übernehmen.«

»Dann war es sehr gut, dass Sie das Thema angesprochen haben«, sagte Sonja.

»Na ja, ganz so klar war es damals für mich nicht«, antwortete Thomas. »Meine Gedanken waren grundsätzlich richtig, aber ich hatte unterschätzt, wie nah meine Führungskräfte bereits an dem Punkt waren. Ich dachte, sie wären vielleicht in ein paar Jahren so weit, ein Unternehmen leiten zu wollen. Doch einige von ihnen wollten am liebsten sofort loslegen. Ich hätte das Ganze fast vermasselt.«

»Aber das hast du nicht«, schaltete ich mich ein.

Thomas gluckste. »Manchmal hat man eben Glück.« Zu Sonja gewandt sagte er: »Sobald es offen ausgesprochen war, erkannten wir, dass es in unser aller Interesse war, eine Lösung zu finden. Also begannen wir, Ideen zu entwickeln und sie zu verbessern. Wir feilten intensiv daran herum und optimierten sie, bis sie unseren Vorstellungen entsprachen und das Ganze erfolgversprechend klang.«

»Und wie sah das Ergebnis aus?«, fragte Sonja.

»Es war ein Hybridmodell«, antwortete Thomas. »Erinnern Sie sich an unser Gespräch auf der Hinfahrt über die Wie-geht-das-Krankheit?«

Sonja nickte.

»Nun, wir haben viel recherchiert, um einige Modelle zu finden, die wir imitieren konnten. Franchise-Unternehmen, Network-Marketing, Konzerngesellschaften …

Eins der Modelle, die wir imitierten, war eine Restaurant-Kette. Meine Frau Maggie geht liebend gerne zum Essen ins Big Bowl. Das ist ein Restaurant im Zentrum von Chicago.

Einmal unterhielten wir uns dort mit unserer Bedienung und sie erzählte, dass die Besitzer des Big Bowl noch andere Restaurants hätten. Ich forschte nach und es stellte sich heraus, dass sie alle möglichen »Restaurant-Konzepte« hatten, wie sie es selbst nannten.

Ich glaube, mittlerweile haben sie schon über 30 Läden. Jedes Restaurant ist individuell eingerichtet, hat einen eigenen Stil, einen eigenen Namen und eine eigene Küche… Aufgrund ihrer Verschiedenheit ziehen die Restaurants ganz unterschiedliche Gäste an. Das Big Bowl hat zum Beispiel eine asiatische Küche. Ein anderes Restaurant bietet gehobene italienische Küche an, und wieder ein anderes hat sich auf Crêpes spezialisiert. Alle unterscheiden sich stark voneinander, aber trotzdem haben sie ein paar Gemeinsamkeiten. Das Essen ist überall ausgezeichnet. Der Service ist sehr gut *und* sie haben alle den gleichen Besitzer.

Ich fand das Konzept genial, weil auch Leute, die von einem bestimmten Restaurant begeistert sind, gerne einmal woanders hingehen wollen. Durch die verschiedenen Küchen und das unterschiedliche Ambiente hat man nicht den Eindruck, dass die Restaurants zu einer Kette gehören. Aber sie profitierten von einem Vorteil, den Ketten haben, nämlich in einem relativ kleinen geografischen Gebiet stark vertreten zu sein.«

Ich sagte an Sonja gerichtet: »Sie erkannten, dass ihre Kunden auch andere Restaurants besuchen würden. Daher war es für sie besser, ihren eigenen Markt anzugraben, als ihre Kunden an die Konkurrenz zu verlieren. Andere Unternehmen wie etwa die große Hotelkette Marriott machen das genauso. Dieses Unternehmen baut zum Beispiel direkt nebeneinander ein Courtyard by Marriott, ein Fairfield Inn sowie ein Residence Inn. Manchmal stehen sie an drei der vier Ecken einer Schnellstraßenkreuzung. Man hat erkannt, dass nicht alle Kunden die gleiche Art von Hotel mögen. Anstatt also nur einen Stil anzubieten und Kunden an Mitbewerber zu verlieren, macht das Unternehmen sich selbst Konkurrenz. Es offeriert alle möglichen Varianten und schlachtet sein eigenes Geschäft für sich selbst aus.«

Sonja sah Thomas lächelnd an. »Und wie haben Sie das mit Ihren zukünftigen Unternehmensleitern konkret umgesetzt?«

»Wir haben ein Modell entwickelt, wonach Führungskräfte, die eine Idee für ein Unternehmen hatten, die vier MMB-Sitzungen durchlaufen konnten, während sie weiterhin ihren bisherigen Job ausübten. Wenn alles gut aussah, widmeten sie vier Freitage und so viel von ihrer Freizeit, wie sie wollten, dem Ziel, das Unternehmen zu gründen, ohne dafür Kapital zu investieren.«

»Das ist ein Teil, den ich immer als genial empfunden habe«, sagte ich.

»Hier haben wir uns an einem weiteren Modell orientiert«, fügte Thomas hinzu. »Eine meiner Führungskräfte hatte einen Vortrag des Unternehmers Bruce Hurley gehört. Dieser hatte berichtet, wie er über ein Dutzend Unternehmen ohne Geld gegründet hatte. Sein Ansatz ist, dass man kein Büro, keine Logos, Computer oder Ähnliches benötigt, um ein Unternehmen zu gründen. Allerdings braucht man eine gute Idee, große Einsatzbereitschaft und Kunden. Also übernahmen wir dieses Konzept. Jedes meiner Unternehmen arbeitete vom ersten Tag an rentabel. Die künftigen Geschäftsführer nutzten ihre Freitage, um potenzielle Kunden über ihre Geschäftsidee zu informieren. Häufig handelte es sich dabei um Kunden, zu denen bereits hervorragende Geschäftsbeziehungen bestanden und die von den Teilnehmern der MMB-Sitzungen ermittelt worden waren.

Aufgrund der bereits bestehenden Kontakte ging es also lediglich um die Frage, ob das neue Produkt oder die neue Dienstleistung einen Bedarf deckte. Es war das perfekte Testgebiet für ein neues Unternehmen.

Wenn nach den vier Freitagen alles vielversprechend aussah, gründeten wir das Unternehmen in einem Bereich des Hauptsitzes, den wir speziell für diesen Zweck reserviert hatten. Wenn nach drei Monaten immer noch alles gut aussah, investierte mein erstes Unternehmen Kapital und war damit zu einem bestimmten Prozentsatz am neuen Unternehmen beteiligt. Der Geschäftsführer oder die Geschäftsführerin entschied dann, wo das Unternehmen seinen Sitz haben sollte. Danach war es auf sich selbst gestellt.«

Thomas lachte. »Die ersten Unternehmensgründer hatten es am schwersten. Beim letzten Unternehmen konnten die Initiatoren bereits auf den jeweiligen Kundenstamm der 13 anderen zurückgreifen. Die ersten Geschäftsführer hatten diese Vorteile nicht. Aber natürlich profitieren sie mittlerweile auch von den später gegründeten Unternehmen und deren Neukunden.«

»Die Geschäftsführer arbeiten also generell zusammen?«, fragte Sonja.

»Das tun sie. Es war eins unserer Hauptziele bei unserer ersten Sitzung. Wir wollten ein System entwickeln, bei dem es für alle vorteilhaft ist zusammenzuarbeiten.

Insgesamt profitieren alle davon: Ich habe meinen Leuten beigebracht, gut zu führen. Wenn wir keine Idee gehabt hätten, wie sie die komplette Führungsverantwortung übernehmen können, wären manche von ihnen früher oder später gegangen. Das hätte mir oder meinem Unternehmen gar nichts gebracht. Wenn einige der Topleute nicht gewechselt hätten, wären keine Stellen frei geworden, in die jüngere Führungskräfte hineinwachsen konnten. Auch sie hätten das Unternehmen dann früher oder später verlassen, und davon hätte ich beziehungsweise das Unternehmen ebenfalls nichts gehabt. Jedes Mal, wenn eine Führungskraft ein neues Unternehmen gründet, bekommt sie die Chance, die Führungsverantwortung zu übernehmen. Und auf diese Weise wird jeweils eine neue Position für die Nachwuchskräfte frei. Mein erstes Unternehmen profitiert finanziell davon, da wir an jedem neuen Unternehmen beteiligt sind. Und je erfolgreicher sie alle arbeiten, desto besser ist es für die anderen, weil sie sich gegenseitig unterstützen.«

»Sie haben Ihr eigenes Unternehmen ausgeschlachtet«, meinte Sonja.

»Das stimmt, obwohl es nicht nur meine Entscheidung war«, antwortete Thomas. »Es war das Ergebnis des ersten zweitägigen MMBs mit meinen Führungskräften. Sie haben dieses System entwickelt. Sie wollten sich nicht gänzlich von dem ersten Unternehmen trennen. Sie sahen es als ›Familienunternehmen, das wir selbst mit aufgebaut haben‹. Und auch ich wollte mich nicht ganz von ihnen trennen.

Jetzt haben sie ihre eigenen Unternehmen und sind trotzdem noch ein Teil der ›Familie‹.«

Thomas lehnte sich in seinem Sitz zurück und griff nach

einer Flasche mit Mineralwasser aus der Minibar der Limousine. Plötzlich krampfte sich sein ganzer Körper zusammen und der Schweiß trat ihm auf die Stirn. Von einer Sekunde auf die andere war er kreidebleich geworden.

»Thomas, was hast du?«, fragte ich erschrocken.

Er versuchte zu antworten, konnte es aber nicht und verdrehte die Augen.

»Thomas!«, rief ich und griff nach seinem Arm. Er reagierte nicht. »Thomas!«

Ich hämmerte mit der Faust gegen die Glasscheibe, die uns von dem Fahrer trennte. »Zum Northwestern Memorial Krankenhaus!«, schrie ich, als der Fahrer die Scheibe zur Seite schob. »So schnell Sie können. Zum Northwestern Memorial Krankenhaus!«

27

Sonja und ich saßen im Wartezimmer, als Maggie herein-
kam. Sie war im Stadtzentrum gewesen, als ich sie vom
Auto aus angerufen hatte, und wartete bei unserer Ankunft
bereits im Krankenhaus. Die Ärzte hatten Thomas sofort in
die Notaufnahme gebracht, um einige Tests durchzuführen,
und Maggie hatte ihn begleitet. Als sie ins Wartezimmer kam,
stand ich auf. »Ist er in Ordnung?«, fragte ich. Sie nickte mit Tränen in den Augen. Sonja ging zu ihr und nahm sie in die Arme.
Maggie begann zu schluchzen. »Er stirbt, Joe. Er ist so weit in
Ordnung, wie man es eben sein kann, wenn man stirbt.«

Sonja geleitete Maggie zu einem Stuhl. »Haben die Ärzte
gesagt, was passiert ist? Es ging ihm kurz vorher wirklich gut.
Er sprach über seine Unternehmen, und plötzlich ...«

Maggie wischte sich die Tränen von ihren Wangen. »Sie
haben gesagt, dass seine Krankheit fortschreitet. Seine
Schmerzen werden zunehmen, die Anfälle werden häufiger
auftreten ... Sie haben uns bereits gesagt, dass es so kommen
würde, sie wussten nur nicht, wann.«

»Was können wir tun, Maggie?«, fragte ich.

»Nichts.« Sie begann wieder zu weinen. »Das macht es ja
so schwer. Keiner von uns kann etwas tun, außer für ihn da zu
sein – und ihm dabei zu helfen, so von uns zu gehen, wie er
es möchte.«

Sie wischte sich die Tränen aus den Augen. »Der heutige Abend hat ihm so gut gefallen, Joe. Ich habe mit ihm gesprochen, als sein Anfall vorbei war. Er war begeistert von all den Leuten, die so voller Leben waren, so erfüllt von dem, was sie tun. Es hat ihm gefallen, dich auf der Bühne zu sehen. Er kann sich keine Situation vorstellen, in der du nicht die Möglichkeit hättest, Menschen zu inspirieren – so wie du es auf den Führungskräfteseminaren machst – und ihnen dabei zu helfen, ihre Ideen zu präsentieren – so wie heute Abend. Er ist so stolz auf dich. Er ist so stolz auf all diese Leute.«

Ich setzte Sonja bei ihrer Wohnung ab und fuhr dann zurück zum Haus von Thomas und Maggie. Thomas blieb über Nacht im Krankenhaus und Maggie ebenfalls. Es war fast zwei Uhr morgens und alles war ruhig. Als ich durch das Haus ging, erschien mir alles so sinnlos. Die MMB-Sitzungen, die Zeitschriften mit den Artikeln von Thomas, das *Wall Street Journal* im Wohnzimmer.

Doch plötzlich erkannte ich, dass zwar zu vielen Leuten alles sinnlos erscheint, aber dass das ganz sicher nicht auf Thomas zutraf. Er hatte sein Leben so gestaltet, dass alles, was er tat, mit seinem Zweck der Existenz zusammenhing und seine Big Five for Life erfüllte. Er konzentrierte sich auf die Menschen und Dinge, die ihm etwas bedeuteten. Ja, er lag im Sterben. Aber er hatte zumindest wirklich gelebt.

»Ich frage mich, wie viele Leute das heute Nacht von sich selbst behaupten können«, sagte ich laut zu mir selbst.

28

Am nächsten Morgen wachte ich spät auf und ging zum Joggen. Als ich zurückkam, sah ich Thomas' und Maggies Sachen neben der Tür liegen. Sie waren aus dem Krankenhaus zurück.

Als ich auf dem Flur an Thomas' Büro vorbeiging, hörte ich, dass er telefonierte. Ich warf einen Blick durch die offene Tür, er sah auf und winkte mich zu sich hinein. Während er sein Gespräch beendete, setzte ich mich auf den Stuhl bei seinem Schreibtisch.

»Ja, das stimmt... ich weiß das zu schätzen... Vielleicht nicht alle drei am gleichen Tag, aber wir können es versuchen... Das würde ich nicht von Ihnen erwarten... Machen Sie es wie immer... Okay, das klingt gut, ich sehe Sie dann dort.«

Er legte auf und lächelte mich an. »Guten Morgen, Joe.«

»Guten Morgen, Thomas. Wie geht es dir? Du hast uns gestern Abend einen ganz schönen Schrecken eingejagt. Ich dachte, die Ärzte würden dir für heute Bettruhe verordnen. Stattdessen sieht es so aus, als würdest du heute Morgen schon wieder Geschäfte machen.«

»So etwas Ähnliches«, sagte er lächelnd. »Die Ärzte haben mir gesagt, dass ich mich entspannen soll. Ich habe ihnen geantwortet, dass ich bald genügend Entspannung haben werde. Hättest du Lust, morgen mit zum Fernsehsender CBS zu kommen?«

»Klar, was findet dort statt?«

»Ich habe gerade mit dem Fernsehmoderator Mark Whitley gesprochen. Erinnerst du dich an ihn? Er hat mich in den letzten fünf oder sechs Jahren ein paar Mal interviewt.«

»Ich denke schon. Ist er nicht Wirschaftsjournalist? Jedenfalls ist er ein guter Moderator – hart in der Sache, aber immer fair.«

»Genau.«

»Und was ist für morgen geplant?«

»Er bittet mich schon seit einem Jahr darum, noch einmal wiederzukommen und eine Serie über Führungsprinzipien im 21. Jahrhundert mit ihm zu machen. Offensichtlich hat er mitbekommen, dass ich etwas mehr Zeit als sonst in Krankenhäusern verbringe, deshalb würde er mich lieber heute als morgen interviewen. Es sollen insgesamt drei Sendungen werden. Alle drei auf einmal aufzuzeichnen, wäre mir vermutlich zu anstrengend. Aber es müsste gut funktionieren, wenn ich zwei Sendungen morgen und eine übermorgen mache. Es wäre schön, wenn du dabei sein könntest.«

Ich nickte. »Ich komme mit.«

Am nächsten Morgen waren wir um 9.30 Uhr im Studio. Mark Whitley begrüßte uns in einem der Warteräume für die Gäste.

»Hallo Thomas, schön Sie zu sehen.«

Thomas gab ihm die Hand. »Ganz meinerseits, Mark. Danke, dass Sie extra mit dem Flugzeug hierhergekommen sind.«

»Kein Problem. Ich mache das nicht oft, aber unter diesen Umständen …« Er zögerte, etwas unsicher, was er als Nächstes sagen sollte.

Thomas rettete ihn. »Mark, dies ist wahrscheinlich der einzige Moment, in dem ich Sie je sprachlos gesehen habe.«

Mark lächelte. »Nun, jedenfalls werden wir die Aufnahmen hier machen und dann von unserem Studio in New York aus senden. Die erste Sendung soll gleich heute Abend laufen und die nächste morgen. Wir müssen dann nur noch sehen, wann wir die dritte aufnehmen können.«

Thomas deutete auf mich. »Das ist ein guter Freund von mir, Joe Pogrete. Wir kennen uns schon seit vielen Jahren und er leitet unsere Führungsseminare. Wahrscheinlich sollten Sie lieber ihn statt mich interviewen.«

Mark gab mir lächelnd die Hand. »Vielleicht kommen Sie mal zu uns ins Studio, wenn diese Sendungen ausgestrahlt wurden, und erzählen uns, was *wirklich* in den Unternehmen von Thomas passiert«, flachste er.

»Mache ich gerne«, antwortete ich. »Aber ich bin sicher, Thomas wird Ihnen vieles selbst erzählen.«

Mark wandte sich wieder Thomas zu. »Übrigens, wie ich Ihnen ja bereits am Telefon gesagt habe, weiß ich natürlich, dass Sie im Moment nicht in der besten gesundheitlichen Verfassung sind. Als Freund würde ich Sie gerne etwas schonen. Aber ich weiß, dass die Zuschauer von mir erwarten, dass ich in meiner Sendung zur Sache gehe und harte Fragen stelle.«

»Behandeln Sie mich bitte nicht anders als sonst auch, Mark«, sagte Thomas. »Ich bin noch genau derselbe.«

»Okay«, sagte Mark, »dann wollen wir mal ins Studio gehen und Sie mit einem Mikrofon ausstatten. Wir machen die üblichen Ton- und Lichttests und dann können wir mit der Aufnahme beginnen. Sie können sich gerne einen Stuhl schnappen, Joe, und sich während der Aufzeichnung in die Nähe der Kameras setzen.«

Thomas und Mark nahmen im Studio ihre Positionen ein. Fernsehstudios hatten mich immer schon fasziniert. Hier gab es nur eine kleine Bühne inmitten eines großen Raums voller Kabel, Kameras und Bildschirme. Auf dem Bildschirm sah es dagegen so aus, als würden sich zwei Menschen in einem Büro miteinander unterhalten.

Die Aufnahmeleiterin zählte die Sekunden rückwärts. »Die Kameras laufen bitte in fünf, vier, drei, zwei…« Bei eins zeigte sie auf Mark.

»Guten Abend und herzlich willkommen bei *Zur Sache*. Mein Name ist Mark Whitley. Heute startet unsere dreiteilige Serie zum Thema ›Führungsprinzipien im 21. Jahrhundert‹. Mein Gast ist Thomas Derale, Geschäftsführer und Gründer von Derale Enterprises. Schön, dass Sie wieder mal bei uns sind, Thomas.«

Im Bild erschien der lächelnde Thomas. »Ich freue mich, hier zu sein, Mark.«

»Einige Leute haben Ihren Führungsstil als radikale Abkehr von der Norm bezeichnet. Es gibt sogar Stimmen, die sagen, Sie würden der Wirtschaft mit Ihrem Beispiel schaden. Was meinen Sie dazu?«

So viel zum Thema sanfter Einstieg, dachte ich.

Thomas lächelte erneut. »Ich nehme an, dass diese Bemerkungen von der Konkurrenz stammen. Meine Leute haben 14 Unternehmen aufgebaut, die extrem rentabel wirtschaften. Die Fluktuationsrate unseres Personals ist im Durchschnitt um 19 Prozent niedriger als bei anderen Betrieben, und wir haben ausgezeichnete Beziehungen zu unseren Geschäftspartnern und Kunden. Das ist meiner Meinung nach kein radikaler Ansatz. Es zeigt, dass wir etwas richtig machen. Und ich wüsste nicht, warum es schlecht für die Wirtschaft sein sollte.«

Mark schaute in die Kamera. »Aber was erwidern Sie auf den Vorwurf, Sie hätten einen ›Killerinstinkt‹ und würden Menschen dazu drängen, bessere Leistungen zu erbringen? Offensichtlich legen Sie großen Wert auf die Sozialkompetenz, die Soft Skills, wie viele sie nennen.«

Thomas beugte sich zu Mark hinüber. »Ich werde Ihnen ein kleines Geheimnis verraten, Mark.«

Ich wusste, was nun kommen würde. Nämlich das, was ich Sonja im Flugzeug erläutert hatte.

»Erstens ist an harten Gewinnen nichts Weiches dran. Und zweitens kommen Gewinne ausschließlich durch Menschen zustande.«

»Das sind überraschende Worte von einem Unternehmensleiter, der dafür bekannt ist, dass seine Mitarbeiter ihn über die Maßen schätzen. Sie betonen besonders den Gewinnaspekt.«

»Sehen Sie es mal so, Mark: Wenn ein Unternehmen nicht rentabel wirtschaftet, wird es ziemlich bald kein Geld mehr haben. Und dann kann es dichtmachen, egal wie großartig das Arbeitsumfeld auch sein mag, egal wie gerne die Angestellten dort arbeiten oder wie erfüllend ihre Jobs sein mögen. Bei diesem Szenario verliert jeder.

Häufig wird fälschlicherweise angenommen, dass Gewinne und Zufriedenheit der Leute sich umgekehrt proportional zueinander verhalten würden. Zu viele Führungskräfte sind der Meinung, je stärker man die Leute antreibt, desto mehr würden sie auch tun und desto höher wären daher die Gewinne. Umgekehrt folgt für sie daraus: Je zufriedener die Angestellten sind, desto weniger werden sie wohl angetrieben und desto niedriger sind daher auch die Gewinne.«

»Und Sie glauben nicht, dass das stimmt?«, fragte Mark.

»Ich weiß, dass es nicht stimmt. Wenn man die Leute so stark antreiben muss, damit sie ihren Job erledigen, dann hat man entweder die falschen Leute oder aber die richtigen Leute machen den falschen Job.«

Thomas legte eine kurze Pause ein. »Möchten Sie die geheime Formel wissen, mit der es uns gelungen ist, eine Vormachtstellung auf dem Markt zu erobern? Warum so viele Menschen glauben, wir seien radikal?«

Mark sah etwas überrascht aus. Er hatte wahrscheinlich gedacht, er müsste Thomas diese Informationen geschickt entlocken.

»Verraten Sie es mir.«

»Zunächst sollten Sie wissen, dass ich hier nichts vereinfacht darstelle. Wir verfahren genau so, wie ich es Ihnen sage. Es ist die Philosophie, mit der ich das Stammunternehmen gegründet habe, und auf genau diese Weise haben wir auch die anderen 13 gegründet.«

»Okay«, sagte Mark.

»Als Erstes habe ich mich gefragt, was ich eigentlich mit meinem Leben anfangen wollte. Was würde mich glücklich machen? Warum war ich hier? Was würde mich so erfüllen, dass ich am Ende mit dem Gefühl sterben würde, dass ich das Leben voll und ganz ausgekostet hatte? Dann überlegte ich mir, mit welchen Geschäftsmodellen ich am meisten Geld verdienen konnte, wenn ich die Dinge tat, die mich erfüllten. Und dann setzte ich das Ganze um.«

Thomas hörte auf zu sprechen. Mark sah ihn an, unsicher, ob noch etwas kommen würde.

»Das ist alles?«

»Das ist alles. Das ist das Geheimnis«, sagte Thomas. »Nun möchten Sie sicher wissen, wie es konkret funktioniert?«

Mark schmunzelte. »Ich denke, unsere Zuschauer würde das interessieren.«

»Was macht mehr Spaß? Etwas zu tun, was einem gefällt oder was einem nicht gefällt?«

»Was einem gefällt.«

»Wenn man etwas gerne tut, möchte man es dann sofort tun oder verschiebt man es?«

»Man möchte es sofort tun.«

»Genauso war es auch bei mir, Mark. Ich habe ein Unternehmen gegründet, in dem ich etwas tat, was mir Spaß machte. Zuvor schon war ich mit Tätigkeiten erfolgreich gewesen, die mir eigentlich keinen Spaß machten, und hatte auf diese Weise viel Geld erwirtschaftet. Daher dachte ich mir, dass ich noch erfolgreicher sein müsste, wenn ich meine Zeit Dingen widmete, die mir wirklich etwas bedeuteten. Und es funktionierte. Ich war produktiv, ich war effizient, meine Mitarbeiter ließen sich von meiner Begeisterung anstecken… Es funktionierte so gut, dass ich damit begann, nur Leute einzustellen, die das, was in meinem Unternehmen zu tun war, gerne machten.«

Mark schaltete sich ein, als Thomas seinen Satz beendet hatte. »Gut, Thomas, ich verstehe, dass Menschen, die ihren Job gerne machen, produktiver sind und dass eine höhere Produktivität zu höheren Gewinnen führt. Aber ist es realistisch zu glauben, dass man Menschen finden kann, die ihren Job voller Begeisterung machen? Und ist es realistisch zu denken, dass sie ihre Arbeit ohne einen gewissen Druck von oben wirklich erledigen?«

Thomas drehte sich mit seinem Stuhl etwas hin und her. »Die Antwort auf Ihre erste Frage lautet: Es besteht gar kein Zweifel. Die Antwort auf Ihre zweite Frage lautet ebenfalls: Es besteht kein Zweifel. Für alles, was ein Mensch überhaupt nicht gerne macht, gibt es einen anderen, der es mit Begeisterung tut. Machen Sie zum Beispiel Ihre Ablage im Büro nur widerwillig? Es gibt Menschen da draußen, die dafür leben, Dinge zu ordnen. Sie gehen völlig darin auf und es macht ihnen unheimlich Spaß. Stellen Sie so jemanden ein! Müssen Sie neue Ideen entwickeln, nehmen aber nicht gerne an Kreativsitzungen teil? Dann stellen Sie jemanden ein, der ständig neue Ideen hat, sie aber bisher nicht gebührend zur Geltung bringen konnte!

Wenn der Job die Big Five for Life eines Menschen erfüllt, muss man ihn nicht antreiben.«

Mark zog ein Blatt Papier aus einem Stapel heraus, der vor ihm lag. »Ich bin froh, dass Sie dieses Thema ansprechen, Thomas. Sie sind für viele Dinge bekannt, unter anderem für einige Ihrer Mottos und Lebensfragen. Eine davon lautet«, Mark schaute auf das Blatt Papier, »›Was sind Ihre Big Five for Life?‹ Lassen Sie uns darüber sprechen, bevor wir zu anderen Fragen übergehen.«

Thomas nickte und erklärte dann, was die Big Five for Life waren und wie er dieses Prinzip in seinen Unternehmen anwandte. Mark lachte: »Das klingt ja ganz danach, als würden Sie Leute für Tätigkeiten einstellen, denen sie sich normalerweise in ihrer Freizeit widmen.«

Thomas grinste. »So kann man es sehen.«

»Aber ist das realistisch?«

»Sicher! Ich gebe Ihnen ein paar Beispiele: Eins unserer Unternehmen hat sich auf das Marketing für Filmproduktionsfirmen spezialisiert. Die Leute, die dort arbeiten, sind absolute Filmfreaks. Sie wissen alles über die Filmindustrie. Sie nehmen an den entsprechenden Events teil, gehen zu Dreharbeiten … Zum Teil werden sie dafür bezahlt, Filme anzuschauen.

Ein weiteres ist ein Outdoor-Ausrüster. Alle Mitarbeiter dort haben täglich damit zu tun, genau die Produkte zu entwerfen, zu testen und zu vermarkten, die ihnen selbst dabei helfen, ihre Big Five for Life zu erfüllen. Sie können über die Dinge sprechen – und sie ausprobieren –, mit denen sie sich sonst nur am Wochenende beschäftigen würden.«

Mark schmunzelte. »So einen Job hätte ich auch gerne.«

»Dazu müssten Sie mir aber sagen, wie er Ihnen dabei helfen würde, Ihre Big Five for Life zu erfüllen.«

»Die Big Five sind also tatsächlich ein zentrales Element Ihres Führungsstils?«, fragte Mark ungläubig.

»Sie klingen überrascht.«

»Nun ja, es klingt nach einer ganzen Menge Arbeit.«

Thomas schüttelte den Kopf. »Eigentlich ist es nicht viel Arbeit. Die Firmenkultur wird automatisch von oben nach unten getragen, Mark. Die Big Five for Life machen einen großen Teil meines Lebens aus. Sie sind das, was ich bin. Ich habe sie anfangs nur bei den Bewerbungsgesprächen mit einbezogen, aber mittlerweile sind sie ein Teil unseres Unternehmensalltags. Alle Menschen, die mit mir arbeiten, haben eine Visitenkarte, auf deren Rückseite ihre Big Five stehen. Auch in ihren Büros kann man sie finden. Die Kollegen sprechen sich gegenseitig häufig darauf an. Ich erzwinge das Ganze nicht. Die Leute reden gerne über ihre Big Five. Sie möchten sie erfüllen, weil sie erfolgreich sein möchten – und zwar so, dass es *ihrer* persönlichen Definition von Erfolg entspricht. Wie ich bereits sagte, sie motivieren sich selbst.

Wir haben sogar eine Big-Five-for-Life-Wand. Schon sehr früh hatte einer unserer Mitarbeiter diese Idee. Wenn Sie heute durch den Haupteingang gehen, sehen Sie Tausende von Fotos mit kurzen Beschreibungen dazu, die von den Mitarbeitern angebracht wurden. Die Bilderwand ist mittlerweile riesig.«

Die Kamera schwenkte zu Mark zurück. »Sie haben zwei Beispiele genannt – die Marketingfirma und den Outdoor-Ausrüster. Beides Bereiche, für die man wohl relativ mühelos interessierte Angestellte findet. Aber wie sieht es in weniger aufregenden Bereichen aus?«

»Diese Frage wird mir häufig gestellt, Mark. Aber egal, um welche Branche es geht, es gibt immer Menschen, die dafür wie geschaffen sind, und andere, die überhaupt nicht dorthin passen. Es gibt viele Leute, die der Arbeit bei einem Outdoor-Ausrüster überhaupt nichts abgewinnen können.

Ich kenne viele Stadtmenschen, die sich nicht die Bohne für die Details bei der Kajakkonstruktion oder für die Tragegestelle von Rucksäcken interessieren. Und wenn diese Leute fünf Minuten auf einem Berggipfel aushalten müssten, würden sie die Sekunden zählen, bis sie endlich wieder nach Hause dürften. Trotzdem gibt es Unternehmen, die solche Leute dafür einstellen, diese Produkte zu promoten, nur weil ihre berufliche Qualifikation vermeintlich dafür spricht. Diese Leute mögen ja intelligent sein und tolle Marketing- oder PR-Beziehungen haben, sodass die Anforderungen des Arbeitsplatzes und die Eignung der Bewerber scheinbar gut zueinander passen, aber in Wirklichkeit passt es überhaupt nicht.

Wir gehen dagegen ganz anders vor. Ich möchte jemanden, der all diese tollen Voraussetzungen mitbringt *und* eine Verbindung zu seinen Big Five for Life hat. Ich habe 14 Unternehmen und jedes von ihnen würde auf manche Leute unglaublich spannend und auf andere unheimlich langweilig wirken. Für jeden Job in jeder Branche, ob es um Sanitärinstallationen, Versicherungen oder den Gesundheitsbereich geht, gibt es Menschen, deren Big Five for Life an genau diesem Arbeitsplatz erfüllt werden. Man muss sie nur finden. Es lohnt sich, solche Leute zu suchen, weil man dann Mitarbeiter hat, die hart arbeiten, die motiviert und daher produktiv sind. All diese Faktoren führen dazu, dass das Unternehmen größere Gewinne erwirtschaftet.«

Mark schaltete sich ein, als Thomas seinen Satz beendet hatte. »Ich verstehe, was Sie meinen, Thomas, und ich kann nachvollziehen, warum es funktioniert. Aber ich muss Sie noch einmal fragen, ob es denn realistisch ist zu glauben, dass diese Prinzipien für *jede* Führungskraft in *jedem* Unternehmen funktionieren können?«

Thomas schmunzelte. »Ist das denn wichtig?«

Mark sah ihn verwirrt an. »Ob das wichtig ist? Wenn ich eine Führungskraft da draußen bin, möchte ich doch wissen, ob dieses Modell für mich funktionieren kann.«

»Genau, Mark. Ich versuche nicht, etwas Absolutes zu postulieren, wenn ich nach Wegen suche, ein besserer Unternehmensleiter zu sein – und meine Unternehmen rentabler zu machen. Als Führungskraft lautet die Frage, die ich mir stellen muss, nicht, ob es für alle anderen funktionieren kann. Die Frage, die ich mir stellen muss, lautet: Kann es bei *mir* funktionieren? Kann es in *meinem* Unternehmen, *meiner* Abteilung, *meinem* Team funktionieren?«

Thomas lächelte. »Wenn ich eine Idee ausprobiere, muss sie nicht den Anspruch erfüllen, für *alle* zu gelten. Das wäre eine größere Verantwortung, als ich sie mir gerne aufbürden möchte.«

29

Ich lehnte mich in meinem Stuhl zurück und beobachtete, wie Thomas und Mark ein Thema nach dem anderen abhandelten. So sprachen sie unter anderem über Thomas' Lebensmottos – »Machen Sie einen Museumstag daraus« und »Sprechen Sie mit einem Fremden«. Nach einem intensiven Austausch kam Mark zum letzten Thema des Interviews.

»Ich würde gerne noch einmal auf etwas zurückkommen, Thomas. Wie Sie gesagt haben, sollte eine Führungskraft sich bei der Anwendung neuer Prinzipien oder Methoden nicht die Frage stellen ›Kann es für alle funktionieren?‹, sondern ›Kann es bei uns funktionieren?‹.

Wir haben in anderen Sendungen bereits darüber gesprochen, wie Ihre Unternehmen gegründet werden. Sie gehen aus Ihrem Stammunternehmen hervor und obwohl sie ab einem gewissen Punkt auf sich alleine gestellt sind, kommt es zu vielen Synergieeffekten mit all Ihren anderen Unternehmen. Viele unserer Zuschauer leiten Unternehmen, Unternehmenszweige oder Abteilungen, die sie mit einer bereits bestehenden festen Struktur und Unternehmenskultur übernommen haben. Sie haben auch die meisten Mitarbeiter übernommen. Wie realistisch ist es, dass sie so erfolgreich arbeiten können wie Sie – wenn sie sich in einem Arbeitsumfeld bewegen, das sie nicht selbst von Anfang an gestalten konnten?«

Thomas nahm einen Schluck Wasser aus dem Glas, das vor ihm stand. »Letztlich ist es nur eine Frage der Motivation. Waren Sie je in einem Disneyland?«

Mark lachte. »Nein, bisher noch nicht.«

»Sollten Sie einmal hinfahren, werden Sie wahrscheinlich etwas bemerken, was Ihnen in einem anderen Umfeld vielleicht seltsam vorkäme.«

»Etwa, dass große Comicfiguren herumlaufen?«, witzelte Mark.

Thomas schüttelte den Kopf. »Das vielleicht auch, aber worauf ich hinauswill, ist, dass man dort durchaus eine Person im schicken Anzug sehen kann, die unvermittelt stehen bleibt, ein Stück Papier, einen Kaffeebecher oder anderen Müll aufhebt, den jemand fallen gelassen hat, und ihn in einen Mülleimer wirft. Leitende Angestellte tun es genauso wie Angestellte, die auf Stundenbasis dort arbeiten. Jeder tut es.

Es gibt keine besondere finanzielle Entlohnung oder etwa ein Punktesystem, mit dem man sich einen Fünf-Dollar-Gutschein erarbeiten könnte. Es gibt auch kein Kontrollsystem, bei dem Leute, die sich nicht so engagiert verhalten, Strafpunkte bekämen oder getadelt würden. Aber die Leute sind trotzdem motiviert, sich so zu verhalten.

Es dürfte zwar nicht die größte Priorität bei Ihren Zuschauern haben, dass Mitarbeiter herumliegenden Müll aufheben sollen, Mark, aber ich vermute, dass Führungskräfte, vor allem Leiter von Unternehmenszweigen oder Abteilungsleiter, die feste Strukturen übernommen haben, durchaus andere Dinge auf ihrer Liste haben, die sie sich von ihren Mitarbeitern wünschen würden.

Die gute Nachricht ist, dass sie keine magischen Formeln

dafür brauchen. Aber sie sollten ein paar Schritte durchführen, die ich Ihnen nun erläutern werde.«

Thomas machte eine Pause. »Ich möchte Sie und Ihre Zuschauer aber von vornherein warnen, dass diese fünf Schritte beängstigend wirken können. Vor allem jungen Führungskräften, die ihren Job aufgrund ihrer beruflichen Qualifikation bekommen haben, behagen diese Ideen häufig gar nicht. Ich bin vielen Leuten begegnet, die der Meinung waren, dass die Angestellten ihre Arbeit erledigen sollten, weil sie dafür bezahlt werden.«

»Stimmt das etwa nicht?«, fasste Mark nach.

»Egal ob es stimmt oder nicht, es ist eine Tatsache, dass Geld an sich nicht zu langfristiger Motivation führt. Und ob jemand etwas tun *sollte* oder ob er *tatsächlich* etwas tut, sind zwei völlig verschiedene Dinge.

Mit den Schritten, die ich Ihnen jetzt erläutern werde, können Führungskräfte ihre Mitarbeiter dazu motivieren, weitaus mehr zu tun, als nur das, wofür sie bezahlt werden. Außerdem werden sie die Mitarbeiter weitaus effektiver motivieren, als wenn Geld der einzige Anreiz wäre.«

Thomas machte eine Pause und trank wieder einen Schluck Wasser. »Der erste Schritt besteht darin, dass die Führungskraft ihren Leuten vermitteln sollte, welche Ziele erreicht werden sollen und warum. Häufig liegt es nicht an mangelnder Motivation, wenn es problematisch ist, die Leute dazu zu bringen, bestimmte Dinge zu tun, sondern daran, dass sie zu wenig informiert sind. Wir haben bei unseren Führungskräftetagungen festgestellt, dass Führungskräfte Ziele regelmäßig mit ihren Vorgesetzten oder mit Leuten auf ihrer Ebene besprechen. Weil die Ziele ihnen daher sehr klar sind, gehen sie allzu häufig davon aus, dass die Mitarbeiter sie ebenfalls kennen. In der Regel ist das aber nicht der Fall.

Leute in leitenden Funktionen müssen sich die Zeit nehmen, ihren Mitarbeitern genau zu erklären, welche Ziele erreicht werden sollen und warum. Es ist wichtig, das ›Warum‹ nicht zu vergessen. Diese Informationen ermöglichen es den Mitarbeitern erst, fundierte Entscheidungen bei ihrer täglichen Arbeit zu treffen.

Wenn man Leute zu einem bestimmten Ziel führen will, sollte man möglichst genaue Angaben machen. Ich war schon immer ein Anhänger von konkreten Zahlen und Terminen. Eine Zielvorgabe wie etwa ›Verbessern Sie Ihren Kundenservice‹ ist sehr vage. Daher können die Mitarbeiter das Ziel nicht optimal umsetzen, sie können auch gar nicht erkennen, ob sie die Erwartungen bereits erfüllen. Eine Zielvorgabe wie ›Verringern Sie bis zum ersten Juni die Wartezeit der Kunden auf zehn Sekunden‹ können sich die Mitarbeiter dagegen konkret vorstellen und sie können gezielt darauf hinarbeiten.«

Thomas lächelte. »Ich bin sicher, dass einige Führungskräfte diese Sendung gerade sehen und sich denken: ›Das weiß doch jeder, das gehört ja zum Basiswissen.‹ Und ich glaube tatsächlich, dass es grundlegend ist und die meisten Führungskräfte Bescheid wissen.«

»Aber nur weil sie es wissen, bedeutet das noch lange nicht, dass sie es auch so praktizieren«, warf Mark ein.

»Genau. Ergebnisse erhält man nur, wenn man sein Wissen auch anwendet.«

Mark drehte sich mit seinem Stuhl hin und her. »Okay Thomas, das ist also der erste Schritt. Wie sieht der nächste aus?«

»Beim zweiten Schritt geht es darum, die Mitarbeiter bei

der Problemlösung mit einzubeziehen. Das kann für Führungskräfte ziemlich schwierig sein, vor allem wenn sie ein unerfahrenes Team haben oder wenn sie bisher immer für ihre Fähigkeit belohnt wurden, selbst Lösungen zu finden. Doch auch wenn ein Chef die tollsten Lösungen entwickelt, werden die Mitarbeiter sie nicht effizient umsetzen, es sei denn, sie fühlen sich beteiligt. Und der beste Weg, sie mit einzubeziehen, ist, sie bei der Lösungsfindung mitwirken zu lassen.

Idealerweise sollen meine Leute nicht nur Lösungen finden, sondern auch die Probleme ermitteln, für die man eine Lösung benötigt. So werden die Ziele eines Teams in unseren Unternehmen in der Regel von allen gemeinsam festgelegt. Wenn eine Führungskraft diesen Ansatz partout nicht umsetzen kann, wäre es zumindest sehr weise, wenn sich die Mitarbeiter daran beteiligen könnten, Mittel und Wege zu finden, um die gesteckten Ziele zu erreichen. So wird nicht nur das Interesse in der Gruppe für die Sache geweckt. Zahlreiche Studien haben auch gezeigt, dass man auf diese Weise viel bessere Lösungen erhält.

Erfolgreiche Sporttrainer wenden diese Techniken ständig an. Natürlich schauen sie sich auch stundenlang Aufzeichnungen von Spielen an, um Schwächen im eigenen Team und bei gegnerischen Mannschaften zu ermitteln. Aber sie beziehen ihre Spieler mit ein, wenn es darum geht, den besten Weg zu finden, um zu siegen. Denn egal, wie viele Aufzeichnungen sie sich auch anschauen oder wie nah sie am Spielfeldrand stehen, sie selbst spielen nicht mit. Die Perspektive von Spielern und Angestellten, die mitten im Geschehen sind, kann sich drastisch von der eines Trainers oder Managers unterscheiden, der nur in der Nähe des Geschehens ist.

Wenn diese Perspektiven bei der Lösungsfindung nicht mit einbezogen werden, geschehen zwei Dinge: Zum einen haben diejenigen, die mitten im Geschehen sind, das Gefühl, dass niemand ihnen zuhört, und verlieren allmählich das Interesse. Zum anderen kommt es so zu Entscheidungen, ohne dass alle wichtigen Informationen mit eingeflossen wären. Beides wirkt sich negativ auf die Umsetzung des Ziels aus.

Aber da wir gerade vom Sport sprechen, Mark, haben Sie sich schon einmal für eine neue Sportart interessiert und sind dabei gegen erfahrene Spieler angetreten?«

Mark nickte. »Ja, natürlich.«

»Was kann eine solche Erfahrung frustrierend machen?«

Mark lachte. »Sicherlich die Tatsache, dass alle anderen das Spiel offenbar beherrschen, man selbst aber nicht.«

»Genau«, sagte Thomas, »man macht etwas, weil man denkt, es sei korrekt, nur um alle paar Minuten gesagt zu bekommen, dass es gegen die Regeln verstößt. Das ist ziemlich frustrierend. Beim dritten Schritt geht es daher darum, den Mitarbeitern die Regeln des Spiels zu erklären.

Häufig kommt es auch am Arbeitsplatz zu ›Frustrationserlebnissen‹, wie ich sie gerade beschrieben habe. Jemand bekommt eine Aufgabe, erhält aber nicht alle nötigen Informationen oder Regeln. Nach einigen Wochen präsentiert er dem Chef seine Arbeit, nur um zu erfahren, dass er etwas Grundlegendes verändern muss – was er aufgrund der fehlenden Informationen nicht wissen konnte.

Das ist extrem demoralisierend. Und denken Sie nur an die Kosten, die Zeit, die Mühe, die geringe Produktivität… Die Mitarbeiter können Lösungen für fast alle Probleme finden, Mark, sie müssen nur die Regeln des Spiels kennen.«

Mark nickte. »Okay, Thomas, das sind die ersten drei Schritte. Wie sehen nun die letzten beiden aus?«

»Über den vierten Schritt haben wir uns bereits ausführlich unterhalten. Man muss die persönlichen Ziele der Leute mit den Zielen des Unternehmens verbinden. Bei uns ziehen wir dazu den Zweck der Existenz, den ZDE, der Leute sowie ihre Big Five for Life heran. Wir haben ja vor ein paar Minuten über die Big Five gesprochen. Beim Zweck der Existenz geht es genau darum, wonach es sich anhört. Es ist der Grund, warum etwas existiert. Jedes meiner Unternehmen hat einen klar definierten ZDE. Und jeder Mitarbeiter hat ebenfalls einen klar definierten ZDE, der zu dem des Unternehmens passt.«

»Und falls das nicht der Fall ist?«, fragte Mark.

»Wenn es nicht der Fall wäre, hätten wir diese Person nicht eingestellt. Zum einen muss der Job die Big Five dieses Menschen erfüllen, und zum anderen muss sein ZDE mit dem des Unternehmens harmonieren, sonst können wir ihm den Arbeitsplatz nicht anbieten.«

Thomas trank wieder einen Schluck Wasser. »Führungskräfte sollten daher regelmäßig kontrollieren, ob die Tätigkeit ihrer Mitarbeiter sowohl zu ihrem ZDE als auch zu den fünf Dingen passt, die sie tun, sehen oder erleben möchten, bevor sie sterben. Wenn eine Person beispielsweise nicht länger denkt ›Ich arbeite, um Geld zu verdienen‹, sondern ›Ich arbeite, weil ich anderen dabei helfen möchte, das tolle Gefühl beim Drachenfliegen zu erleben‹, kommt es zu einer entscheidenden Veränderung der Einstellung sowie der Motivation.«

Mark warf einen Blick auf die Aufnahmeleiterin, die anzeigte, dass nur noch ein paar Minuten übrig waren. »Das habe ich verstanden, Thomas. Können Sie uns auch den letzten Schritt noch kurz erläutern?«

»Gerne. Das ist schnell geschehen. Dieser Schritt ist besonders wichtig für die Führungskräfte, die Sie vorhin beschrieben haben – die ihre Mitarbeiter übernommen haben. Wenn jemand aus irgendeinem Grund nicht gut in ein Team passt, sollten sie ihn umgehend herausnehmen.«

Mark sah Thomas überrascht an. »Wirklich?«

»Ja, wirklich. Nichts behindert die Arbeit so sehr wie jemand, der entweder am falschen Platz oder notorisch unzufrieden ist. Auf alle anderen wirkt das demoralisierend und es kostet Zeit und Energie. Man möchte gerne gute Leute im Team haben. Leute, die sagen: ›Ich weiß, was wir alle versuchen, und ich glaube, es gibt einen besseren Weg, das Ziel zu erreichen.‹ Solche Aussagen zeigen einem, dass das Team auf dem richtigen Weg ist.

Wenn jemand aber ständig sagt ›Wir schaffen das nie‹ oder sich nicht wirklich für seine tägliche Arbeit oder für das Team interessiert, behindert er alle anderen. Und er behindert auch sich selbst. Man muss solche Leute aus dem Team herausnehmen, sonst zerstören sie es. Man braucht Leute, deren ZDE und Big Five for Life gut zu den Zielen des Teams passen; Leute, die dem Team helfen und es unterstützen.«

Mark nickte der Aufnahmeleiterin fast unmerklich zu, da sie signalisiert hatte, dass die Zeit fast um war. »Ist so etwas je in Ihren Unternehmen vorgekommen, Thomas? Mussten Sie schon Leute aus Teams rausnehmen?«

»Es geschieht hin und wieder. Es gibt manchmal Leute, die sich im Bewerbungsgespräch durchmogeln, um einen Fuß in die Tür zu bekommen. Aber anhand ihrer Produktivität wird sehr schnell klar, dass der Job nicht gut zu ihrem Zweck der Existenz und ihren Big Five for Life passt.«

»Und dann?«

»Dann führen wir ein sehr ehrliches und offenes Gespräch mit ihnen. Wir lassen sie gehen und ermutigen sie, sich auf eine Stelle zu bewerben, die ihre Big Five und ihren ZDE wirklich erfüllt.«

»Sie lassen sie gehen?«

»Ja. Wie könnte ich meinen Kunden, Lieferanten, Mitarbeitern und anderen Leuten gegenüber ernsthaft behaupten, wie wichtig es ist, etwas zu tun, was einen erfüllt, wenn ich nicht gleichzeitig ein System schaffe, in dem das gewährleistet ist?«

»Das wirkt aber etwas hart, Thomas.«

»Hart wäre es, die übrigen Mitarbeiter zu zwingen, mit diesen Menschen zusammenzuarbeiten. Es gibt so viele Unternehmen, in denen man Dinge tun kann, die einem nichts bedeuten. Aber nicht in meinen Unternehmen. Die Unternehmenskultur wird von oben nach unten getragen. Und wenn in einem meiner Unternehmen etwas falsch läuft, bin ich als Leiter zuerst dafür verantwortlich.«

Thomas schmunzelte. »Und Sie haben das als weiche Fähigkeiten bezeichnet, Mark.«

Mark schmunzelte ebenfalls. »Ich weiß. Wir werden uns wohl einen neuen Begriff dafür einfallen lassen müssen. Und wir müssen dieses Gespräch in unserer nächsten Sendung fortsetzen, denn unsere Zeit ist für heute zu Ende.«

Und damit verabschiedete sich Mark von den Zuschauern.

30

Gut gemacht, meine Herren«, sagte die Aufnahmeleiterin der Sendung zu Mark und Thomas. »Wir machen 20 Minuten Pause, dann nehmen wir den zweiten Teil auf.«

Am Set setzte eine hektische Betriebsamkeit ein. Kameras wurden herumgeschoben, Scheinwerfer neu ausgerichtet, und Mark wurden neue Unterlagen für die nächste Sendung in die Hand gedrückt. Thomas rollte mit seinem Stuhl hinter dem Tisch hervor und Mark klopfte ihm auf die Schulter. »Das war prima, Thomas. Jetzt können Sie sich etwas ausruhen. Ich schlage vor, dass wir die zweite Sendung mit Ihren bewährten Geschäftspraktiken beginnen, und dann sehen wir einfach, wo das Gespräch uns hinführt. Brauchen Sie noch irgendetwas, bevor wir mit der zweiten Sendung weitermachen?«

Thomas schüttelte den Kopf. »Nein, alles okay, Mark, vielen Dank.«

Mark drehte sich um und ging zur Aufnahmeleiterin, um sich mit ihr zu besprechen. Thomas erhob sich von seinem Stuhl und stützte sich am Tisch auf, um sich zu stabilisieren. Ich sah, dass er große Schmerzen hatte, und wollte ihm gerade entgegengehen, da wies er mich mit einer entschlossenen Geste an zu bleiben, wo ich war – er wollte es alleine schaffen.

»Es sieht so aus, als hättest du Schmerzen«, sagte ich, als er mich erreichte.

»Ja, sie sind sehr stark. Seltsam, während des Interviews habe ich mich ausschließlich auf das Gespräch konzentriert, aber sobald es vorbei war, spürte ich die Schmerzen sehr deutlich. Wie hat das Ganze aus deiner Perspektive gewirkt?«

»Es lief hervorragend. Inhaltlich war es sehr gut und das Timing und das Tempo waren genau richtig. Man hat dir nicht angesehen, dass du Schmerzen hast. Wenn du mich fragst«, scherzte ich, »hast du wie du selbst gewirkt.«

Er lächelte. »Ich fasse das als Kompliment auf.«

Wir unterhielten uns noch eine Weile über die Themen für das zweite Interview, dann winkte Mark Thomas zu sich heran. Sie waren bereit, weiter aufzuzeichnen.

»Und fünf, vier, drei, zwei …« Wieder signalisierte die Aufnahmeleiterin mit der Hand, dass die Aufzeichnung begonnen hatte.

»Guten Abend, meine Damen und Herren, und herzlich willkommen zur zweiten Sendung unserer dreiteiligen Serie zum Thema ›Führungsprinzipien im 21. Jahrhundert‹. Mein Name ist Mark Whitley, und heute wieder zu Gast bei uns ist Thomas Derale, Gründer und Geschäftsführer der Derale Enterprises. Er hat 14 sehr profitable Unternehmen und seine Angestellten schätzen und mögen ihn. Damit hat er etwas erreicht, womit viele Unternehmensleiter und Führungskräfte Probleme haben. In unserer letzten Sendung hat er uns verraten, warum er in Bezug auf seine Mitarbeiter so erfolgreich ist. Heute wollen wir über einige seiner innovativen Geschäftspraktiken sprechen. Schön, dass Sie wieder bei uns in der Sendung sind, Thomas.«

»Vielen Dank, Mark. Ich komme immer wieder gerne.«

»Manchmal bekommen Unternehmen heutzutage fast so

etwas wie einen Kultstatus, weil Geschichten über sie kursieren, die eher nach modernen Stadtlegenden als nach wahren Begebenheiten klingen. Ich habe zum Beispiel so eine über die Kaufhauskette Nordstrom gehört, die für ihren außergewöhnlich guten Kundenservice bekannt ist. Angeblich hat ein Filialleiter Autoreifen von einem Kunden zurückgenommen, obwohl Nordstrom gar keine Reifen verkauft.

Ähnliche Geschichten habe ich auch über Ihre Unternehmen gehört, Thomas. Angeblich haben Sie Kunden, die über Empfehlung zu Ihnen gekommen waren, abgewiesen, weil Sie ihnen nicht den Service bieten konnten, den Sie ihnen bieten wollten. Ist an der Geschichte irgendetwas Wahres dran?«

Thomas schmunzelte. »Zunächst einmal vielen Dank für den Tipp mit Nordstrom. Ich habe schon seit einem Jahr ein paar Reifen in meiner Garage rumliegen und wusste nie so recht, was ich damit machen sollte.«

Mark lachte. »Dann ist es wohl an der Zeit, sie in den Kofferraum zu laden und zu diesem Kaufhaus zu fahren.«

»Spaß beiseite, ich weiß nicht, ob die Geschichte über Nordstrom wahr ist oder nicht. Fest steht, dass Nordstrom eine Unternehmenskultur geschaffen hat, in der Führungskräfte dafür sorgen können, dass die Kunden eine tolle Erfahrung machen. Egal, ob die Geschichte stimmt oder nicht, sie zeigt den Geist, der in dem Unternehmen herrscht. Was die Geschichte über meine Unternehmen betrifft – wir haben eine klare Vorstellung davon, wie die Kundenerfahrung bei uns aussehen soll. Unserer Firmenphilosophie zufolge soll jeder Kunde die gleiche gute Erfahrung bei uns machen wie die Person, die uns diesem Kunden weiterempfohlen hat.

Und tatsächlich hat es Zeiten gegeben, in denen wir aufgrund gewisser Einschränkungen der Mitarbeiter, wegen Lieferproblemen unseres Hauses oder eines unserer Partner diesen Anspruch nicht erfüllen konnten. In diesen Fällen haben wir Kunden abgewiesen.«

Mark nickte. »Was haben Sie ihnen gesagt?«

»Wir haben ihnen unsere Philosophie erläutert und ihnen die Gründe genannt, warum wir ihre Erwartungen in dem Moment nicht erfüllen konnten. Dann sagten wir ihnen, wann wir ihnen den gewünschten Service bieten könnten – bei dem Beispiel, das ich im Sinne habe, handelte es sich um einen Zeitraum von circa sechs Wochen. Wir zogen gerade in ein größeres Gebäude um und es dauerte seine Zeit, bis alles wieder reibungslos lief. Außerdem hatten wir ein paar neue Leute eingestellt, die noch eingearbeitet werden mussten. Während der Umzugsphase kamen vier neue potenzielle Kunden auf uns zu, die uns gerne Aufträge geben wollten.«

»Sie haben aufgrund Ihrer Entscheidung also vier Kunden verloren?«

»Nein, drei der potenziellen Kunden wollten warten, falls wir ihnen garantieren konnten, dass wir tatsächlich in sechs Wochen so weit sein würden. Also garantierten wir es ihnen. Wir machten die Verträge, schlossen unseren Umzug ab und kümmerten uns dann um die neuen Kunden.«

»Und was war mit dem vierten Kunden?«

»Er ging woanders hin. Ich würde Ihnen gerne erzählen, dass er schließlich doch noch unser Kunde wurde, aber ich glaube nicht, dass das der Fall war. Obwohl wir nie einen potenziellen Kunden verlieren möchten, steht fest, dass der Schaden größer gewesen wäre, wenn wir dem Kunden etwas versprochen, es dann aber nicht eingehalten hätten. Als Unternehmen und als Mensch in einer Führungsposition bleibt man anderen allein dadurch im Gedächtnis, dass man sagt, was man tun wird, und es dann auch umsetzt.

Das ist für uns die Minimalforderung bei der Definition von Erfolg. Die meisten Unternehmen erfüllen sie nicht einmal annähernd. Und das führt zu Problemen, da sie ihre Glaubwürdigkeit verlieren, wenn sie ihre Termine mal einhalten und mal nicht. Im Film *Krieg der Sterne* gibt es einen bekannten Satz dazu. Der junge Mann lernt bei seinem Mentor Yoda. Yoda sagt ihm ungefähr Folgendes: ›Es gibt keinen Versuch. Entweder man tut es oder man lässt es.‹ Wenn wir unsere Versprechen nicht einhalten können, sollten wir von vornherein erst gar nichts versprechen. Entweder tun wir etwas, oder wir lassen es bleiben, aber wir sollten es nicht *versuchen*.«

Mark nickte. »Da ist viel Wahres dran, Thomas. Man hört immer häufiger Geschichten von unzufriedenen Kunden, die einen schlechten Service oder mangelhafte Produkte bekommen haben.«

»Das stimmt, und wir möchten nicht, dass irgendeins unserer Unternehmen in einen solchen Ruf kommt. Kurzfristig kann man seine Gewinne auf diese Weise vielleicht steigern, aber langfristig gesehen ist es eine miserable Strategie. Man verliert das Vertrauen der Kunden, und die Umsätze gehen zurück. Gute Leute wollen außerdem nicht in Unternehmen tätig sein, die ihre Zusagen nicht einhalten, und kündigen. Die Folge sind drastisch ansteigende Personalbeschaffungs- und Einarbeitungskosten. Und darüber hinaus sinkt die Produktivität, wenn so viele Leute neu im Unternehmen sind und man die besten Leute gar nicht bekommt.«

»Warum verhalten sich viele Unternehmen dann so, Thomas?«

»Ich glaube, die meisten Menschen machen öfter mal schlechte Erfahrungen und irgendwann glauben sie, schlechte oder mittelmäßige Leistungen seien ganz normal und akzeptabel. Wenn diese Leute dann in Führungspositionen kommen, erbringen sie nur mittelmäßige Leistungen. Entweder sie glauben, es sei gut genug, oder sie wissen schlicht nicht, wie sie es besser machen könnten.

Wenn es um Führungsprinzipien geht, ahmen viele Leute das nach, was sie bei anderen Menschen in Führungspositionen gesehen haben. Da die Führungskräfte ähnlich vorgehen, glauben die Leute, dass es richtig ist. Aber leider machen die meisten Kunden, wie Sie gesagt haben, keine guten Erfahrungen und das ist eine unmittelbare Folge eines schlechten Führungsstils.

Hin und wieder gibt es Unternehmen, die es besser machen. Nordstrom, Starbucks, Southwest Airlines, American Express zum Beispiel. Ihnen ist es gelungen, aus den festgefahrenen Mustern auszubrechen, von denen so viele andere Leute beherrscht werden.«

»Und woran liegt das?«, fragte Mark.

»Ich glaube, es liegt an den Unternehmensleitern. Alles beginnt damit, dass sie ein Unternehmen gründen, weil es ihrem Zweck der Existenz entspricht. Es ist etwas, das sie interessiert und begeistert – etwas, das sie erfüllt. Wahrscheinlich ist es ein Teil ihrer Big Five for Life, selbst wenn sie diesen Begriff noch nie gehört haben. Dann wächst das Unternehmen und zieht herausragende Führungspersönlichkeiten an, sodass die Mitarbeiter sich an Vorbildern orientieren können, die nicht blind alten Verhaltensmustern folgen, sondern neue Wege beschreiten.

Diese Führungskräfte sind mit Begeisterung dabei. Sie wollen ihre Sache gut machen. Sie tun, was sie sagen, nicht nur, weil es gut für das Geschäft ist, sondern weil sie sich damit identifizieren. Sie hören ihren Kunden aufmerksam zu. Und aufgrund all dieser Faktoren sind ihre Kunden begeistert, die Angestellten sind gerne ein Teil des Unternehmens und das Unternehmen macht gute Gewinne.«

Mark hob seine Hand. »Befassen Sie sich manchmal mit Unternehmen, die diese Sprache des Erfolgs nicht sprechen, Thomas?«

»Wie Sie wissen, betone ich immer wieder, dass der Führungsstil sich von oben nach unten überträgt. Wenn ein Unternehmen nicht erfolgreich ist, dann ist der Unternehmensleiter dafür verantwortlich. Es mag hart klingen, aber ich persönlich beschäftige mich nicht mit Leuten oder Unternehmen, die die Sprache des Erfolgs nicht beherrschen. Wenn man sich auf eine Sache konzentriert, sollte man sich für das Richtige entscheiden.«

»Können Sie uns das genauer erläutern?«

»Ja, gerne. Ein Prinzip, das ich meinen Mitarbeitern vermittle, lautet: Konzentriere dich auf eine Sache! Stellen Sie sich vor, Sie sitzen in einem Hotelzimmer. Es klopft an der Tür. Als Sie die Tür öffnen, steht ein Fremder vor Ihnen und erzählt, dass er großartige Neuigkeiten für Sie hat. Eine sehr alte, extrem exzentrische Verwandte, die Sie nie kennengelernt haben, hat 20 Millionen Dollar auf dem Gipfel des Mount McKinley deponiert. Das Geld befindet sich in einer Truhe, die nur mit dem richtigen Schlüssel geöffnet werden kann. Der Fremde übergibt Ihnen den Schlüssel zusammen mit einem Flugticket für einen Flug in die Nähe des Mount McKinley. Der Flug geht in fünf Stunden.«

Mark lachte. »Ich finde, das klingt ziemlich gut.«

Thomas sah ihn schelmisch lächelnd an. »Es gibt einen Haken bei der Sache, Mark. Sie müssen den Mount McKinley schnell besteigen, um an das Geld zu kommen. Wenn Sie es nicht innerhalb von 24 Stunden schaffen, bekommen Sie das Geld nicht. Und, was noch schlimmer ist, wenn Sie Ihren Flug nicht erwischen oder den Gipfel nicht in 24 Stunden erreichen oder wenn Sie gar nicht erst versuchen, ihn zu besteigen, wird ein Auftragskiller, den Ihre Verwandte engagiert hat, Sie umbringen.«

Mark lachte wieder. »Das klingt plötzlich nicht mehr so gut.«

Thomas nickte. »Genau. Stellen Sie sich nun Folgendes vor: Sie stehen mit dem Schlüssel und dem Flugticket in der Hand da und beschließen, mit dem Aufzug in die Hotellobby zu fahren, um etwas frische Luft zu schnappen und Ihre Situation zu überdenken. Aber anstatt bis zur Lobby zu fahren, steigen Sie aus Versehen ein Stockwerk zu früh aus. Dort findet gerade eine Veranstaltung statt. Als Sie aus dem Aufzug aussteigen, befindet sich zufällig genau vor Ihnen ein großes Hinweisschild, auf dem der Titel der Veranstaltung steht. Er lautet: ›Wie man den Mount McKinley besteigt‹.

Und wie es der Zufall nun mal so will, sind die Teilnehmer in dem Veranstaltungsraum in drei Gruppen aufgeteilt. Die erste Gruppe besteht aus Leuten, die versucht haben, den Mount McKinley zu besteigen, es aber nicht geschafft haben. Die zweite Gruppe setzt sich aus Leuten zusammen, die den

Mount McKinley erklommen haben, dafür aber mehr als 24 Stunden benötigten. Und in der dritten Gruppe sind Leute, die den Gipfel in weniger als 24 Stunden erreicht haben.

Ihr Flug geht in fünf Stunden, Mark. Mit wem würden Sie sprechen?«

»Mit der Gruppe, die in weniger als 24 Stunden auf dem Gipfel war.«

»Tatsächlich? Wollen Sie denn nicht wissen, was all die anderen Leute getan haben? Diejenigen, die länger als 24 Stunden gebraucht haben? Wollen Sie nicht wissen, was sie alles falsch gemacht haben?«

»Nicht, wenn es um mein Leben geht.«

»Und damit konzentrieren Sie sich auf die eine Sache, Mark. Wir verfügen jeden Tag nur über ein begrenztes Maß an Zeit und Energie. Warum sollten wir uns also nicht darauf konzentrieren, von den besten Leuten zu lernen, wie wir das, was wir tun, sehen oder erleben wollen, am besten angehen können? Wir sprechen über dieses Thema, weil Sie mich gefragt haben, warum andere Unternehmen eine Strategie verfolgen, mit der sie scheitern werden. Warum sie die Erwartungen ihrer Kunden nicht erfüllen. Ich weiß es nicht. Ich beschäftige mich nicht damit. Ich beschäftige mich mit den Unternehmen, die die Erwartungen ihrer Kunden weit übertreffen.

In der Geschichte von der exzentrischen Verwandten und dem Mount McKinley muss der Erbe von denen lernen, die wissen, wie man den Gipfel erfolgreich besteigt. Davon hängt sein Leben ab. Im Geschäftsleben ist es nicht wesentlich anders. Der Zeitrahmen mag zwar größer sein, aber es ist eine Tatsache, dass das Überleben eines Unternehmens ebenfalls von dem Wissen abhängt, wie man Erfolg hat. Daher konzentrieren wir uns auf diese eine Sache.«

Mark nickte und blätterte seine Notizen durch. »Als Sie vor ein paar Jahren in meiner Sendung waren, haben Sie unseren Zuschauern einige praktische Tipps gegeben, wie man verschiedene Dinge in einem Unternehmen verbessern kann. Ich würde Sie bitten, heute etwas Ähnliches zu machen, wobei der Fokus auf Führungsprinzipien liegen sollte. Es geht dabei nicht um eine bestimmte Reihenfolge. Beginnen Sie einfach mit dem Thema, das Ihnen zuerst einfällt. Welche Empfehlungen können Sie Führungskräften geben, die heute Abend zuschauen, damit sie ihre Mitarbeiter optimal führen können?«

Thomas überlegte einen Moment, dann sagte er: »Gut, Mark, ich spreche ein paar Punkte an, und Sie sagen mir einfach, wenn ich aufhören soll.«

Mark nickte. »Schießen Sie los!«

»Häufig hört man, ein Betrieb sei geprägt von einer Politik der offenen Türen. Doch das ist nicht genug. Es reicht nicht, eine offene Tür zu haben, man muss die Leute auch dazu auffordern einzutreten. Ein guter Freund von mir bekam einen Managementposten bei American Express. Nachdem er ein Jahr dort gearbeitet hatte, machte er eine persönliche Krise durch. Es ging um seine Familie und seine Partnerschaft, kurz: Mehrere Dinge kamen zusammen und warfen ihn aus der Bahn. Er ging zu seinem Chef und erklärte, er wolle kündigen. Am selben Tag rief die Personalchefin bei ihm an und lud ihn zum Mittagessen ein. Im Firmen-Organigramm befand sie sich drei Ebenen über ihm.

Beim Mittagessen sagte sie ihm, falls er darüber sprechen

wolle, würde sie gerne hören, was los sei. Wenn er nicht darüber reden wolle und einfach eine Auszeit benötige, sei das auch in Ordnung, aber sie wolle nicht – und das sagte sie ihm sehr deutlich –, dass er das Unternehmen verlasse. Am Ende ermöglichte sie es ihm, sechs Wochen unbezahlten Urlaub zu nehmen. In dieser Zeit verreiste er und ordnete seine Gedanken. Als er zurückkam, half die Personalchefin ihm, eine neue Position zu finden. Heute leitet er einen Geschäftszweig des Unternehmens.

Diese Personalchefin machte aktiv einen Schritt auf ihn zu, öffnete ihm die Türen und lud ihn ein hereinzukommen. Das war für ihn das entscheidende Signal. Er wird nie vergessen, was sie für ihn getan hat, und es hat einen Einfluss auf alles, was er heute für das Unternehmen tut.«

Thomas räusperte sich und machte eine kurze Pause. »Hier ist eine weitere Idee. Sie hat überhaupt nichts mit der Geschichte zu tun, die ich gerade erzählt habe.

Seitdem ich mein erstes Unternehmen gegründet habe, nutzen wir jedes Jahr die ruhigere Zeit dafür, die unliebsamsten und zeitintensivsten Aufgaben zu ermitteln. Dann versuchen wir, die schlimmsten zehn Prozent davon loszuwerden, oder wir überlegen uns, wie sie sich auf eine angenehmere Weise erledigen lassen.

Es gibt zwei Möglichkeiten, wie Führungskräfte den Gewinn beeinflussen können. Entweder sie erreichen eine Steigerung der Einnahmen oder sie reduzieren die Kosten. Die genannte Maßnahme hilft dabei, die Kosten zu reduzieren. Darüber hinaus fördert sie die Arbeitsmoral, weil man die unangenehmsten Aufgaben loswird. Es ist wie ein alljährlicher Frühjahrsputz, der uns gute Resultate gebracht hat.«

Mark lächelte. »Das gefällt mir. Haben Sie noch ein paar Tipps auf Lager, Thomas?«

»Ja, der nächste richtet sich an alle Leute in Führungspositionen, aber vor allem an diejenigen, die mit Kunden zu tun haben. Man sollte sich regelmäßig in seine Kunden hineinversetzen. Ich gebe Ihnen ein Beispiel.

Einige Fluggesellschaften berechnen mittlerweile eine Buchungsgebühr in Höhe von zehn Dollar, auch wenn die Kunden ihre Tickets über das Internet kaufen.«

Mark lachte. »Sie verlangen eine Buchungsgebühr von Leuten, die ihr Ticket selbst buchen?«

Thomas nickte. »Ja, es ist völlig unlogisch, aber so verhält es sich. Die Fluggesellschaften berechnen eine extra Gebühr, wenn die Fluggäste die Arbeit erledigen, für die eigentlich die Fluggesellschaft zuständig wäre. Das ist so, als würde eine Bank jedes Mal Gebühren verlangen, wenn man Geld auf sein eigenes Konto einzahlt.

Führungskräfte sind dafür zuständig, auf solche Unstimmigkeiten zu achten und zu erkennen, welche Regelungen unsinnig sind und die Kunden verärgern. Wenn die Fluggesellschaft zehn Dollar zusätzlich verdienen will, sollte sie diesen Betrag auf den Ticketpreis draufschlagen. Aber die Kunden wie in diesem Fall zu verärgern, ist schlecht fürs Geschäft. Und es ist ein Zeichen schlechter Führung.«

Als Thomas geendet hatte, gab die Aufnahmeleiterin Mark ein Signal, dass noch drei Minuten Sendezeit blieben.

Mark nickte ihr kaum merklich zu und wandte sich dann wieder an Thomas. »Unsere Sendung nähert sich dem Ende. Haben Sie davor noch ein paar praktische Tipps für unsere Zuschauer?«

»Angst führt zum Scheitern, und Furchtlosigkeit führt zum Erfolg«, sagte Thomas. »Es ist etwas ganz anderes, ob nur eine Führungskraft Großartiges in einem Unternehmen leistet oder ob Dutzende oder Hunderte von Führungskräften großartige Leistungen vollbringen. Letzteres übertrifft bei Weitem das, was ein Einzelner je schaffen könnte. Ich gebe alles, was ich weiß, an meine Leute weiter, und ich bringe ihnen bei, furchtlos zu sein. Werden sie hin und wieder Fehler machen? Mit Sicherheit, und das ist auch in Ordnung. Und ich sage ihnen auch, dass es in Ordnung ist.

Wenn man nicht nur mittelmäßig sein will, wird man manchmal stolpern. Leute, die erfolgreich sind, erkennen das. Sie wissen auch, dass es nur dann ein Problem ist zu stürzen, wenn man nicht wieder aufsteht. Im Wesentlichen entsteht Angst, weil es einem an Erfahrung oder Wissen mangelt. Wenn man über beides ausreichend verfügt, verschwindet die Angst.

Leider horten viele Führungskräfte ihr Wissen und enthalten ihren Mitarbeitern die Möglichkeit vor, wichtige Erfahrungen zu sammeln.«

»Warum tun sie das?«, fragte Mark.

»Meistens liegt es an ihrem Ego und ihrer Unsicherheit. Einige Führungskräfte brauchen das Machtgefühl, die Person zu sein, an die alle sich wenden, wenn sie Fragen haben. Sie wollen derjenige sein, der stets Antworten parat hat. Sie haben das Gefühl, wichtig zu sein und gebraucht zu werden, wenn alle bei ihnen vorstellig werden müssen, um bei irgendetwas weiterzukommen. Und wenn sie das glücklich macht, dann soll es von mir aus so sein. Es ist allerdings ein äußerst ineffektiver Führungsstil. Wirklich herausragende Führungskräfte – die langfristig Erfolg haben – freut es, wenn ihre Mitarbeiter sich weiterentwickeln und einen Punkt erreichen, an dem sie eigenständige Entscheidungen treffen können.

Stellen Sie sich einmal Folgendes vor, Mark: Sie leben in New York und möchten, dass Ihre Kinder lernen, mit der U-Bahn zu fahren. Ist es effektiver, jedes Mal die Fahrkarten für die Kinder zu lösen und ihnen zu sagen, welche U-Bahn sie nehmen und an welcher Haltestelle sie aussteigen müssen, oder lernen die Kinder mehr, wenn sie diese Dinge *selbst* tun dürfen?«

Mark lachte. »Als Vater, der zwei Kinder in New York großgezogen hat, weiß ich, dass es viel effektiver ist, ihnen das U-Bahn-Fahren beizubringen, als sie überallhin zu begleiten.«

»Und wie haben Sie das gemacht?«, fragte Thomas.

Mark zuckte mit den Schultern. »Es war eigentlich ganz leicht. Ich zeigte ihnen, wie man eine Fahrkarte kauft, und ließ sie dann selbst eine kaufen. Dann ließ ich mir von ihnen auf dem Stadtplan zeigen, wo wir waren. Und als Nächstes fanden sie heraus, wo wir aussteigen mussten. Ich ließ sie sogar ein paar Mal an unserer Haltestelle vorbeifahren, damit sie lernten, wie man wieder zurückkommt, wenn man eine Haltestelle mal verpasst hat. Mein Ziel war, sie in einem sicheren Umfeld, also während ich bei ihnen war, Fehler machen zu lassen, damit sie zurechtkommen würden, wenn ich sie nicht mehr begleitete.«

»Genau«, sagte Thomas. »Und der Lerneffekt geht weit über die New Yorker U-Bahn hinaus. Wenn sie einmal gelernt haben, sich in New York zurechtzufinden, wie ängstlich werden sie dann noch sein, wenn sie das Gleiche in Rom, Tokio oder Peking tun müssen? Wie viel Angst werden sie davor haben, die Abfahrtszeiten von Zügen oder Bussen herauszubekommen? Sie haben die Basis dafür geschaffen, dass Ihre Kinder solche Situationen erfolgreich meistern können. Und darauf können sie immer weiter aufbauen. Sie haben Ihren Kindern geholfen, sich zu starken, selbstbewussten Persönlichkeiten zu entwickeln. Und auf die gleiche Weise sollte auch eine gute Führungskraft ihre Mitarbeiter unterstützen, damit sie sich zu starken, zuversichtlichen Führungspersönlichkeiten entwickeln.«

Mark lächelte. »Das war ein weiteres gutes Beispiel, Thomas, und eine tolle Sendung insgesamt. Ich weiß, dass viele Zuschauer enorm von dem profitieren werden, was Sie uns heute gesagt haben.« Mark drehte sich zur Kamera. »Das war die zweite Folge unserer dreiteiligen Serie zum Thema ›Führungsprinzipien im 21. Jahrhundert‹. Ich würde mich freuen, wenn Sie bei unserer nächsten Sendung wieder dabei wären …«

31

Als wir vom Fernsehstudio nach Hause kamen, begrüßte uns Maggie. Sie schlang ihre Arme um Thomas und gab ihm einen langen Kuss. »Wie geht es meinem Star-Ehemann?«

Er zog sie an sich und sie legte ihren Kopf gegen seine Brust. Er hielt sie lange so fest. Dann neigte er seinen Kopf nach unten und murmelte: »Ich liebe dich.«

Sie drückte ihn fest. »Ich dich auch.«

Nach einer Weile löste sich Maggie etwas aus der Umarmung, sah Thomas an und fragte ihn: »Und, wie lief es heute?«

»Frag lieber Joe«, antwortete Thomas. »Er hat erlebt, wie das Ganze vom Zuschauerraum aus wirkte.«

»Es lief sehr gut, Maggie, dein Mann war in seinem Element.«

»Wann wird es gesendet?«, fragte Maggie.

Thomas legte seinen Stock ab und setzte sich auf den nächsten Stuhl. »Wir haben zwei Sendungen aufgezeichnet. Sie kommen heute und morgen. Das Studio gibt uns noch telefonisch Bescheid, wann wir die dritte Sendung aufzeichnen. Es wird irgendwann übermorgen sein. Ich weiß nur noch nicht genau, um welche Uhrzeit.«

* * *

Thomas, Maggie und ich kamen um 18.30 Uhr im Fernsehstudio an. Es war am Tag, nachdem der zweite Teil des Interviews gesendet worden war. Mark hatte Thomas nach der Sendung angerufen und ihm gesagt, dass die Zuschauerreaktionen auf die ersten beiden Sendungen so gut gewesen seien, dass sie das dritte Interview gerne live aus dem Studio in Chicago senden wollten. Eine Live-Schaltung aus Chicago war in der Geschichte dieser Sendung bisher noch nicht vorgekommen.

»Sind Sie bereit, Thomas?«, fragte Mark, als wir das Studio betraten.

»Jederzeit, Mark«, antwortete Thomas. Er machte Mark und Maggie miteinander bekannt, dann nahmen Maggie und ich etwas abseits von der Bühne Platz. Die Maskenbildner und Tontechniker bereiteten Thomas ein paar Minuten lang für die Sendung vor. Um 18.57 Uhr verließen alle das Set, vor den Kameras befanden sich nur noch Mark und Thomas.

Mark lächelte Thomas aufmunternd zu, als die Aufnahmeleiterin rief »Noch zwei Minuten bis zur Sendung«.

»Genauso wie vorgestern, Thomas«, sagte Mark. »Der einzige Unterschied ist, dass heute Millionen von Zuschauern live dabei sind.«

»Keine Sorge, Mark«, meinte Thomas grinsend. »Ich springe für Sie ein, falls Sie etwas vergessen sollten.«

Mark lachte und kurze Zeit später zählte die Aufnahmeleiterin wieder rückwärts »Fünf, vier, drei, zwei…«, dann waren sie auf Sendung.

»Guten Abend, meine Damen und Herren, und willkommen bei *Zur Sache*. Mein Name ist Mark Whitley und Sie sehen die dritte Sendung unserer Serie über ›Führungsprinzipien im 21. Jahrhundert‹. Mein Gast ist auch heute wieder der Gründer und Geschäftsführer von Derale Enterprises, Thomas Derale. Sie erleben heute etwas ganz Besonderes. Aufgrund der überwältigenden Reaktionen auf die ersten beiden Sendungen haben wir uns dazu entschlossen, das dritte Interview nicht als Aufzeichnung aus New York, sondern live aus unserem Studio hier in Chicago zu senden.«

Mark fasste kurz zusammen, worüber sie sich in den letzten beiden Sendungen unterhalten hatten, und fuhr fort:

»Ich würde heute gerne von Ihnen erfahren, ob es besonders prägende Momente für Sie gab, Begebenheiten, die Sie auf einen bestimmten Weg gebracht haben oder bei denen Sie etwas erfahren haben, das die Welt für Sie veränderte. Hatten Sie solche Momente und wenn ja, wie haben diese sich auf Ihre Führungsprinzipien ausgewirkt?«

Thomas überlegte ein paar Sekunden lang. »Ja, ich hatte einige prägende Momente und ich möchte Ihnen in diesem Zusammenhang gerne eine Geschichte erzählen, die mir gezeigt hat, wie entscheidend Vorbilder für andere sein können.«

»Okay«, erwiderte Mark.

»Ich leitete mein Unternehmen bereits seit einigen Jahren und suchte nach einem Weg, wie ich anderen erklären konnte, dass ein Ereignis ungeahnt weite Kreise ziehen kann. Etwa, wenn es ein anderes auslöst, das wiederum ein anderes Ereignis nach sich zieht und so weiter. Alle haben ihren Ursprung in ein und demselben Ereignis.«

»Das klingt so ähnlich wie die bekannte Theorie, dass ein Schmetterling, der an einem Ort mit seinen Flügeln schlägt, letzten Endes einen Taifun an einem anderen Ort der Welt auslösen kann«, sagte Mark.

Thomas nickte zustimmend. »Genau. In diesem Fall war ich auf der Suche nach einem Beispiel dafür, wie stark die Wirkung eines Menschen sein kann, der seinen Zweck der Existenz und seine Big Five for Life erfüllt. Interessanterweise fand ich mein Beispiel in der Oprah-Winfrey-Show.«

»Tatsächlich?«

»Ja«, Thomas warf Maggie ein kurzes Lächeln zu, »ich hatte das Glück, dass meine Frau schon seit langer Zeit ein Oprah-Fan ist und die Sendungen häufig aufzeichnet. Ich hatte ihr erzählt, dass ich nach einem Beispiel dafür suchte, welche ungeahnte Wirkung ein Mensch auf andere haben kann. Eines Abends meinte Maggie bei einer Oprah-Show, dass ich sie mir unbedingt ansehen müsse. Und sie hatte wirklich recht damit.«

Mark lächelte. »Sie machen mich sehr neugierig, Thomas. Worum ging es denn in der Sendung?«

»Es ging eigentlich nicht um *etwas*, sondern um *jemanden*. Oprah hatte Diana Ross eingeladen. Während des Interviews erzählte Oprah, dass sie als kleines Mädchen die Sängerin im Fernsehen gesehen hatte und dachte: ›Ich will auch so sein. Ich will *so* sein.‹ Und das hat ihr Leben verändert.

Als ich die Oprah-Sendung sah, wurde mir plötzlich klar: Wenn Diana Ross ihrer Passion nicht gefolgt wäre und ihren Zweck der Existenz – denn ich nehme an, dass es sich darum handelt – nicht erfüllt hätte, dann hätte Oprah Winfrey vielleicht nie einen solch inspirierenden Moment erlebt. Ohne diesen Moment, ohne dieses Vorbild hätte Oprah ihr eigenes Potenzial vielleicht nie erkannt. Sie hätte möglicherweise nie eine Fernsehkarriere angestrebt und nie eine eigene Show und einen eigenen Sender gehabt.

Und wenn es zu alldem nicht gekommen wäre, dann wären Millionen und Abermillionen von Menschen nicht von ihr inspiriert worden. Nicht nur durch ihre eigene Show, sondern beispielsweise auch durch die Sendungen, die sie produziert.

Und wenn ich noch einen Schritt weiterdenke, frage ich mich, wer Diana Ross dazu inspiriert hat, an sich selbst zu glauben. Wer hat sie dazu ermuntert, ihrer Berufung zu folgen und zu singen? Denn ohne diese Person wäre Diana Ross vielleicht nie im Fernsehen gewesen und dann hätte Oprah sie nicht sehen können. Das heißt, in gewisser Weise ist der Mensch, der Diana Ross inspiriert hat, auch dafür verantwortlich, dass Millionen von Oprah inspiriert wurden. Daher sage ich meinen Mitarbeitern stets, dass ihre Handlungen viel weitere Kreise ziehen können, als sie jemals erfahren werden. Sie sind nicht nur Vorbilder für die Menschen, mit denen sie direkt zu tun haben, denn potenziell können sie Menschen über Generationen hinweg positiv beeinflussen. Wenn Menschen in Führungspositionen sich das bewusst machen, inspiriert es sie häufig dazu, wahrhaft Großes zu leisten, anstatt lediglich Mittelmäßigkeit anzustreben.«

»Das ist eine weitere beeindruckende Geschichte, Thomas.«

32

Mark und Thomas sprachen noch kurz über einige weitere Themen, dann gab die Aufnahmeleiterin Mark ein Signal, dass nur noch ein paar Minuten blieben.

»Sie sind ein sehr interessanter Gast, Thomas, und es war ein großes Vergnügen, Sie hier in der Sendung zu haben. Es sind nur noch ein paar Minuten übrig. Gibt es noch irgendetwas Bestimmtes zum Schluss, das Sie unseren Zuschauern mitteilen möchten?«

Thomas antwortete erst nach einer kurzen Pause. »Ich sage Ihnen was, Mark. Wie wäre es, wenn ich über eins der größten Geheimnisse des Lebens spreche? Es ist gleichzeitig eins der größten Geheimnisse für Führungskräfte. Und dann schließe ich mit einer Geschichte.«

Mark nickte. »Einverstanden. Wie lautet das Geheimnis?«

Thomas nahm ein Stück Papier und einen Stift zur Hand und zeichnete ein kleines Diagramm. Dann hielt er es in die Kamera.

»Die meisten Menschen gehen auf diese Weise durchs Leben. Die x-Achse steht für die Zeit, die y-Achse für die Zufriedenheit im Leben. Und diese einfache Sinuskurve – die wie Berge und Täler aussieht – repräsentiert ihr Leben.

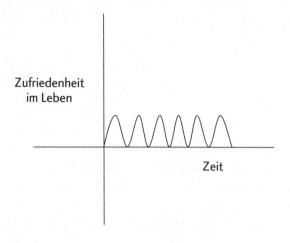

Natürlich haben Menschen in ihrem Leben Höhen und Tiefen. Aber meistens erreichen ihre Höhen ungefähr das gleiche Level, und die Tiefen liegen ebenfalls ungefähr bei einem gleich tiefen Punkt auf der Skala. Die Menschen pendeln zwischen diesen beiden Punkten hin und her.

Das Geheimnis des Lebens besteht darin, eine Sinuskurve zu haben, die sich nicht ständig gleichförmig zwischen diesen beiden Polen bewegt, sondern im Laufe der Zeit ansteigt. Ich bezeichne sie als aufsteigende Lebenskurve. Sie sieht folgendermaßen aus.« Thomas zeichnete erneut ein kleines Diagramm und hielt es in die Kamera.

»Im Leben eines solchen Menschen sieht es anders aus. Er pendelt nicht zwischen zwei Hoch- und Tiefpunkten hin und

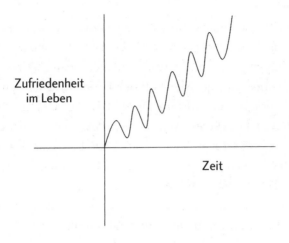

Zufriedenheit
im Leben

Zeit

her, sondern erreicht im Laufe der Zeit neue Höhen. Jeder hat Tiefpunkte im Leben. Das ist unvermeidlich. Selbst wenn man sich auf der richtigen Reise befindet und sich in die Richtung bewegt, in die man gehen will, kommt es zu Tiefpunkten. Auch wenn man vielleicht gerade unterwegs auf seiner Traumreise nach Hawaii ist, kann einiges schiefgehen. So kann zum Beispiel das Flugzeug Verspätung haben oder man bekommt während des Flugs einen Film zu sehen, den man schon kennt.

Auf einer aufsteigenden Lebenskurve jedoch liegen die Tiefs ab einem bestimmten Moment an einem höheren Punkt als früher die Hochs. Das zu erreichen ist eigentlich sehr einfach. Je mehr Zeit man am Tag mit etwas verbringt, das den eigenen Zweck der Existenz erfüllt, und je mehr Zeit man sei-

nen Big Five for Life widmet, desto stärker steigt die Lebenskurve an.

Auch eine erfolgreiche Führungskraft zu sein, ist einfach.
Man muss nur dieses Geheimnis kennen.« Thomas zeigte auf
die Diagramme, die er gerade erläutert hatte. »Und dann
muss man es nutzen. Man holt sich Leute ins Unternehmen,
deren Zweck der Existenz zum ZDE des Unternehmens
passt. Man bringt diese Menschen in Positionen, in denen sie
ihre Big Five erfüllen können – einfach, indem sie ihren Job
machen. Und dann bringt man ihnen bei, das Gleiche für die
Leute zu tun, die sie führen.

Wenn man das tut, trägt man dazu bei, dass die Lebenskurve der Mitarbeiter aufsteigt. Und während dieses Prozes-
ses tragen sie dazu bei, dass die Lebenskurve des Unternehmens nach oben geht. Denn auch ein Unternehmen hat eine
Lebenskurve. Wenn die Lebenskurven der Menschen *und*
die des Unternehmens aufsteigen, deutet das auf einen großartigen Führungsstil hin.«

Thomas schaute in die Kamera. Er hielt kurz inne, dann
sagte er mit emotionsgeladener Stimme: »Wie Sie wissen,
Mark … und wie die mir nahestehenden Menschen wissen …
werde ich bald sterben.« Thomas machte wieder eine Pause.
»Wir alle müssen sterben. Ich befinde mich nur in der außer-
gewöhnlichen Situation, ungefähr zu wissen, wie viel Zeit
mir bleibt – und es ist nur noch sehr wenig. Vor langer Zeit
habe ich etwas gelernt. Es ist ein wichtiger Teil von mir
geworden. Und es hat die Art und Weise, wie ich führe
und versuche, andere Führungskräfte zu inspirieren, nach-
haltig beeinflusst. Deshalb kann ich auch die Tatsache akzep-
tieren, dass mein Leben bald zu Ende sein wird. Wenn Sie

einverstanden sind, werde ich Ihnen dazu eine Geschichte erzählen.«

Er sah zu Mark. Dieser wirkte etwas überrascht. Offenbar wusste er nicht, was kommen würde. Er zögerte kurz, dann sagte er: »Sehr gerne, Thomas. Erzählen Sie uns die Geschichte.«

Thomas nickte. Als er zu sprechen begann, klang seine Stimme zuversichtlich und ruhig. »Vor über 20 Jahren nahmen meine Frau und ich uns fast ein Jahr frei und reisten mit dem Rucksack um die Welt. Es war etwas, das wir beide uns seit Langem gewünscht hatten. Und trotz der tausend Gründe, warum wir es eigentlich nicht tun konnten oder warum es nicht der ideale Zeitpunkt war, sagten wir einfach: ›Schluss jetzt, wir tun es!‹ Fünf Wochen, nachdem die Entscheidung gefallen war, standen wir auf einer kleinen Straße in Bangkok. Im Verlauf der Reise wurde mir immer bewusster, wie viel mir all diese Erlebnisse bedeuteten. Ich begriff, warum ich eine so starke Sehnsucht danach verspürt hatte, mich auf ein solches Abenteuer einzulassen. Nach siebeneinhalb Monaten waren wir in Afrika. Das Unterwegssein hatte mein Leben bereits dramatisch verändert. Doch innerhalb weniger Tage sollte es sich noch entscheidender verändern. Seit meiner Kindheit hatte ich davon geträumt, die Tiere Afrikas zu sehen. Nun campierten wir eine Woche lang mitten unter ihnen. Wir sahen Elefanten, Rhinozerosse, Giraffen, Zebras … Sie waren so nah, dass wir sie manchmal mit ausgestrecktem Arm hätten berühren können. Wir sahen, wie ein Giraffenjunges geboren wurde, und beobachteten Löwen bei der Jagd … Für mich war es der Höhepunkt all der beeindruckenden Erfahrungen, die wir während unserer Reise gemacht hatten. Am letzten Morgen wachte ich in unserem kleinen Zelt auf. Und da wurde mir bewusst, dass es für mich in Ordnung gewesen wäre, in diesem Moment zu sterben. Ich wollte nicht sterben, aber ich hatte so viel erlebt und so viele Dinge, die ich mir erträumt hatte, waren in Erfüllung gegangen, dass ich das Gefühl hatte, das Leben gelebt zu haben, für das ich geboren worden war.«

Thomas unterbrach sich, und ich beobachtete, was im Studio geschah. Alle – angefangen von den Kameraleuten, über die Kabelträger, bis hin zur Aufnahmeleiterin – sahen Thomas gebannt an. Im Studio hätte man eine Stecknadel fallen hören können, so still und regungslos verharrten alle.

»Als meine Frau Maggie aufwachte, packten wir unsere Campingausrüstung zusammen und machten uns auf den Weg. Nach circa einer halben Stunde sah Maggie mich an und sagte: ›Ich hatte heute Morgen einen sehr seltsamen Gedanken. Ich wachte auf und dachte, nach alldem, was wir auf unserer Reise gesehen und erlebt haben … würde es mir nichts ausmachen … wenn ich heute sterben würde.‹«

»Wow«, sagte Mark leise.

Thomas sah ihn an. »Es war in der Tat beeindruckend, Mark. Und das ist es für mich nach all diesen Jahren immer noch. In diesem Moment habe ich einen der wichtigsten Schlüssel zum Erfolg in meinem Leben und zum Erfolg als Führungskraft erkannt.

Man sollte das Ende stets zuerst schreiben, Mark. Immer. Man sollte damit anfangen zu leben und sein Leben so gestalten, dass man eines Tages – hoffentlich bald – aufwacht und tief in seinem Inneren spürt, dass es für einen selbst in Ordnung wäre, wenn man an diesem Tag sterben würde. Nicht etwa, weil man sterben wollte, sondern weil man einen Punkt erreicht hätte, an dem man ohne Bedauern sterben könnte.

Vielleicht klingt es im Vergleich mit einem ganzen Leben banal, aber man sollte lernen, auch bei anderen Dingen den Schluss zuerst zu schreiben. Ich habe aufgrund meines Erlebnisses an diesem Morgen erkannt, wie wichtig es für mich ist, den Schluss bei allem, was ich tue, vorwegzunehmen. Was für ein Unternehmen wollte ich aufbauen? Wodurch sollten sich meine Führungskräfte auszeichnen? Wie sollte meine Beziehung zu meiner Frau an unserem zehnten Hochzeitstag aussehen?

Ich habe dieses Prinzip so stark verinnerlicht, dass ich mich sogar bei kleinen Dingen wie etwa einer Sitzung stets frage: ›Wie sieht der Schluss aus? Was möchte ich am Ende der Sitzung gerne erreicht haben? Wie möchte ich mich fühlen? Wie sollen sich die anderen Leute im Raum fühlen?‹«

Thomas schlug die Augen für einen Moment nieder und seufzte leise. »Das Leben geht schnell vorüber, Mark. Ich kann nicht glauben, dass ich bereits 55 Jahre gelebt habe. In gewisser Weise erscheint es mir so, als wäre ich gerade erst hergekommen, doch die Wahrheit ist … dass meine Reise hier fast vorbei ist. Entweder wir schreiben den Schluss, den wir uns wünschen, und gestalten unser Leben so, dass wir dieses Ziel erreichen, oder wir leben die Geschichte eines anderen und erleben dann ein Ende, das im Vergleich zu dem Schluss, den wir für uns selbst geschrieben hätten, ein blasser Abglanz ist … So einfach ist es.«

Thomas hörte auf zu sprechen und die Kameras schwenkten zu Mark zurück. Er war sichtlich berührt von dem, was er gerade gehört hatte.

»Meine Damen und Herren, es gibt nur wenige Momente, in denen uns Fernsehleute etwas überrascht und bewegt
und unser Blick auf das Leben sich verändert...« Er hielt
inne und sah in die Kamera. »Momente, die in uns etwas an-
stoßen, uns sozusagen zu besseren Menschen machen... Die
heutige Sendung gehört dazu. Wie Thomas Derale uns erzählt hat, wird er bald sterben. Aufgrund seines gesundheitlichen Zustands war er heute zum letzten Mal in unserer Sendung... es war unsere letzte Gelegenheit, Zeit mit ihm zu
verbringen. Und das, meine Damen und Herren, wird für uns
alle ein großer Verlust sein.

Dies war eine ganz besondere Sendung aus unserer Reihe
Zur Sache ... Ich bin Mark Whitley. Und ich wünsche Ihnen
eine gute Nacht.«

33

Als die Kameras ausgeschaltet waren und das geschäftige Treiben am Set wieder losging, vibrierte mein Handy. Es war Sonja.

»Hallo Sonja.«

»Joe, ich habe die Sendung verfolgt. Es war beeindruckend, wirklich beeindruckend. Heute hat sich der Kreis für mich geschlossen. Alles, worüber wir uns im Flugzeug unterhalten haben, alles, was ich bei der MMB-Sitzung miterlebt habe. Alles, wofür Thomas sich eingesetzt hat, soll den Leuten dabei helfen, eine aufsteigende Lebenskurve zu haben. Und damit nicht genug. Es soll eine steil ansteigende Kurve sein, damit ihr Leben so schnell wie möglich immer besser wird.«

Ich schmunzelte angesichts von Sonjas Begeisterung. »Ja, es war eine ziemlich beeindruckende Sendung«, sagte ich. »Sie sollten sehen, was hier los ist. Thomas wird gerade von Leuten bestürmt, die nach einer Sendung normalerweise gleich zu ihrer nächsten Aufgabe übergehen. Er hat heute Abend viele Menschen bewegt.«

Am nächsten Morgen sah ich Maggie am Tisch sitzen, als ich in die Küche kam. Ich umarmte sie. »Guten Morgen, Maggie.«

Sie lächelte und erwiderte die Umarmung. »Guten Morgen.«

»Wie geht es Thomas?«

»Er schläft noch. Ich habe das Telefon ausgesteckt. Seit der Sendung gestern hat es unaufhörlich geklingelt. Ich habe heute früh mit Kerry Dobsin gesprochen. Bis heute Morgen, so sagte sie mir, haben 72 000 Leute das Online-Bewerbungsformular der Derale Enterprises ausgefüllt und dabei ihren ZDE und ihre Big Five for Life angegeben. Außerdem haben am laufenden Band Leute bei ihr angerufen, die mit Thomas ins Geschäft kommen wollen.«

Ich lächelte. Es war eine erneute Bestätigung dessen, was Thomas als Unternehmensleiter praktizierte.

»Kerry bittet dich, sie anzurufen. Offensichtlich gibt es auch zahlreiche Anfragen von den Medien. Sie wollte sich erkundigen, ob du dich um ein paar davon kümmern könntest. Außerdem möchte sie mit dir noch über etwas anderes sprechen … etwas, woran sie und ich in der letzten Zeit gearbeitet haben.«

»Das klingt ja geheimnisvoll«, sagte ich.

»Ja, das ist es auch«, antwortete Maggie. »Du wirst es verstehen, wenn du dich mit ihr unterhältst.«

34

In den Tagen nach dem letzten Fernsehinterview schlief Thomas die meiste Zeit. Aufgrund einer seltsamen Wendung im Krankheitsverlauf verschwanden die Schmerzen, aber dafür setzte eine extreme Müdigkeit ein. Eine Woche lang sprachen wir nur sehr wenig miteinander. Am Ende dieser Woche hatte er einen weiteren Anfall und musste ins Krankenhaus gebracht werden.

In den drei Tagen dort verschlechterte sich sein Zustand dramatisch. Die Müdigkeit verschwand nur teilweise, und die Schmerzen kamen mit großer Heftigkeit zurück. Trotz der Bemühungen seiner Ärzte und der Gebete und guten Wünsche so vieler Menschen war es offensichtlich, dass sein Ende sehr nah war. Der Tumor beeinträchtigte seinen Gleichgewichtssinn mittlerweile so stark, dass Thomas nicht mehr als ein paar Schritte gehen konnte. Als er vom Krankenhaus wieder nach Hause kam, saß er in einem Rollstuhl. Von nun an würde er sich auf diese Art und Weise fortbewegen.

Kurz nach seiner Rückkehr klingelte eines Morgens das Telefon. Es war Kerry Dobsin. Thomas, Maggie und ich saßen gemeinsam am Tisch auf der Terrasse, daher schaltete Maggie den Lautsprecher des Telefons an.

»Thomas, ich bitte dich wirklich nur sehr ungern darum, aber ich brauche deine Hilfe. Ich weiß, dass du gerade erst aus dem Krankenhaus zurückgekommen bist, aber könntest du morgen um 13 Uhr ins Hauptgebäude kommen? Es wäre wichtig.«

Thomas beugte sich zum Telefon. Er sah müde aus. »Worum geht es denn, Kerry?«

»Das kann ich dir am Telefon nicht richtig erklären, Thomas. Es hat mit dem Expansionsprojekt zu tun. Ich würde dir gerne persönlich erläutern, an welchem Punkt wir sind, und dich um Rat fragen, wie wir am besten weiterverfahren sollen. Ich habe zusammen mit dem Team schon tagelang daran gearbeitet, aber wir kommen einfach an ein paar zentralen Punkten nicht weiter, und das blockiert das gesamte Projekt. Ich hätte nicht angerufen, wenn wir hier nicht in einer echten Sackgasse stecken würden. Wir müssen morgen zu einer Lösung finden, sonst verzögert sich das Ganze aufgrund der Antragsfrist um mehrere Monate. Wir brauchen *dich* unbedingt, Thomas.«

»In Ordnung, einen Moment bitte.« Thomas sah Maggie an und fragte sie: »Hast du morgen Nachmittag schon etwas vor? Oder könntest du es einrichten, mich ins Büro zu fahren?«

Da Thomas jetzt im Rollstuhl saß, hatte er einen speziellen Kleinbus gemietet, mit dem Maggie und ich ihn abwechselnd chauffierten.

Maggie dachte einen Moment lang nach. »Ich habe ein paar Termine von zehn bis circa halb drei, aber ich kann sie verschieben, wenn du möchtest.«

»Ich kann dich fahren«, sagte ich. »Ich habe den ganzen Tag Zeit.«

Thomas beugte sich wieder zum Telefon. »Okay, Kerry, ich

werde um ein Uhr da sein. Ruf mich an, falls irgendetwas ist und du mich früher brauchst.«

* * *

Als ich am nächsten Tag mit Thomas zu Mittag aß, musste ich mich sehr konzentrieren, um mir ein Grinsen zu verkneifen. Ich wollte, dass es eine Überraschung für ihn war. Doch aufmerksam, wie er war, musste mich Thomas nur kurz ansehen, dann sagte er: »Du bist heute Vormittag aber besonders gut gelaunt, Joe. Was ist denn los?«

»Ich bin immer gut gelaunt, Thomas, das weißt du doch.«

»So, so«, antwortete er und lächelte. »Dann behalte dein Geheimnis ruhig für dich.«

Trotz seines Lächelns sah Thomas mitgenommen und müde aus. Er hatte sich sein ganzes Leben lang sehr fit gehalten. Doch mittlerweile hatte er fast 15 Kilo abgenommen und wirkte extrem dünn.

Wir kamen um kurz vor eins beim Hauptsitz des Unternehmens an. Als ich Thomas in den Rollstuhl half, stöhnte er ungewollt vor Schmerzen.

»Entschuldige bitte.«

»Schon in Ordnung, Joe. Es liegt nicht an dir.«

Ich half ihm, sich bequem im Rollstuhl hinzusetzen, und schob ihn dann auf den Eingang zu. Nach ein paar Schritten sah ich zu ihm hinunter und bemerkte eine erstaunliche Veränderung. Mit jedem Meter schienen seine Lebensgeister mehr und mehr zurückzukommen. Er wirkte wieder mehr wie er selbst.

Als wir uns dem Eingang näherten, öffnete sich die Tür

und Josephine kam heraus. Sie lächelte und umarmte Thomas lange. »Schön, dass du wieder da bist, Thomas. Kerry hat erwähnt, dass du zu einer Sitzung kommen würdest. Ich habe mich schon den ganzen Tag darauf gefreut, dich zu sehen.«

Thomas erwiderte ihre Umarmung. »Es ist schön, wieder hier zu sein, Josephine. Und schön zu sehen, dass alles immer noch in guten Händen ist.«

Josephine schloss die Tür hinter uns. »Kerry hat mir gesagt, dass ihr sie im Büro im neuen Anbau treffen sollt. Es ist nicht schwierig zu finden. Ihr kommt dorthin, wenn ihr den Flur entlanggeht und am Ende links abbiegt. Ach, wisst ihr was? Ich bringe euch schnell hin, es dauert ja nur eine Minute.«

Ich schob Thomas den kurzen Flur entlang bis zu einer großen Glasflügeltür. Sie war noch mit braunem Papier beklebt, mit dem die Handwerker sie während der Bauarbeiten vor Schäden schützen wollten. Als wir nur noch ein paar Meter entfernt waren, öffnete sie sich und gab den Blick auf einen zweistöckigen Verbindungsflur frei, der auf beiden Seiten von Büros gesäumt wurde. Der ganze Flur war voller Menschen. Sie standen auf beiden Seiten in sieben oder acht Reihen hintereinander, und als sich die Glastür öffnete, lachten, schrien und applaudierten sie.

Während ich Thomas weiterschob, wurde die Menge noch lauter. Der breite Gang machte eine leichte Rechtskurve, und als wir um die Ecke bogen, schwoll der Jubel nochmals an. In meiner Jugend hatte ich ein paar Basketballspiele der Chicago Bulls im alten Stadion von Chicago gesehen. Ich hatte nie wieder einen solchen Lärm gehört wie in dem

Moment, als beim Verlesen der Aufstellung die Reihe an den damals umjubelten Star Michael Jordan kam. Bis jetzt.

Vor uns lag das neu erbaute Atrium. Es war vier Stockwerke hoch und wirkte mit seiner gläsernen Kuppel und seiner verglasten Fassade sehr elegant. Im Innenbereich sorgten Pflanzen und Springbrunnen dafür, dass man sich wie in einem tropischen Paradies vorkam. Doch eigentlich muss man sagen, es hätte wie ein tropisches Paradies gewirkt, wenn nicht Tausende von begeisterten Menschen dort gewesen wären. Durch das Atrium verlief ein roter Teppich, der bei einem riesigen Vorhang auf der gegenüberliegenden Seite endete. Josephine beugte sich zu Thomas hinunter und umarmte ihn noch einmal. Sie lächelte ihn an und war sichtlich ergriffen. »Sie sind alle wegen dir hier, Thomas ... Sie sind alle deinetwegen gekommen. Als wir das heutige Ereignis angekündigt haben, waren wir überwältigt, wie viele Leute teilnehmen wollten. Zunächst meldeten sich die Leute, die in deinen Unternehmen arbeiten oder früher einmal bei dir gearbeitet haben. Aber das war nur der Anfang. Dann begannen sich die Partner und Kinder deiner Mitarbeiter zu melden. Sie wollten auch kommen. Dann meldeten sich deine Geschäftspartner, Lieferanten, viele Kunden ... All die Leute, deren Leben du verändert hast. Sie wollten alle hier sein. Sie alle wollten dir danken.«

Ich sah zu Thomas hinunter. Zum ersten Mal in all den Jahren, seit ich ihn kannte, war er überwältigt. Tränen liefen seine Wangen hinunter, als er Freunde, Kunden und Mitarbeiter erkannte, die alle gekommen waren, um ihm zu sagen: »Du hast unser Leben verändert.«

Josephine berührte meine Schulter. »Geht noch ein Stück

weiter«, sagte sie leise und deutete auf den roten Teppich. Als ich Thomas weiterschob, teilte sich die Menge, um uns durchzulassen. Ich erblickte Maggie und Kerry, die uns auf der anderen Seite des Atriums erwarteten. Sie standen Arm in Arm da und wie fast alle anderen Anwesenden lachten und weinten sie gleichzeitig, als wir uns langsam auf sie zubewegten.

Als wir bei ihnen angekommen waren, umarmte Kerry Thomas. »Wir haben dich vermisst, mein Freund«, sagte sie. Thomas nickte ihr zu. Er wollte etwas antworten, war aber nicht in der Lage dazu.

Maggie beugte sich zu ihm hinunter und küsste ihn. »Ich liebe dich«, sagte sie. »Und wir haben eine kleine Überraschung für dich.« Sie reichte ihm eine goldene geflochtene Schnur, die an der oberen Ecke des Vorhangs befestigt war. »Das ist von uns allen für dich.«

In der Menschenmenge um uns konnte ich einzelne Stimmen ausmachen: »Wir sind deinetwegen hier.« »Danke Thomas.«

Kerry legte ihre Hand auf Thomas' Schulter. »Du kannst den Vorhang jetzt öffnen.«

Thomas zog an der goldenen Schnur und der Vorhang ging auf. Dahinter befand sich ein hoher Marmoreingang mit einer Flügeltür aus Glas. Über der Tür stand: *Lebe jeden Tag so, als würde er ein Teil deines Lebensmuseums werden.*

Die Menge klatschte und jubelte. Maggie beugte sich zu Thomas hinunter. »Bist du bereit?«

Seine Stimme klang vor lauter Rührung ganz gepresst. »Ich möchte gerne, dass sie mitkommen«, sagte er und deutete auf die Menge.

»Alle?«, fragte ich.

»Ja, alle.«

Kerry öffnete die Flügeltür, schob Thomas in die dahinter-
liegende Halle und bat ein paar Leute, die in der Nähe der
Tür standen, fünf Minuten zu warten und die anderen dann
hineinzulassen.

Vor uns befand sich eine große Marmorwand mit einem
Porträt von Thomas, das als Relief in die Wand gemeißelt war.
Darunter war eine Tafel angebracht. Der Text beschrieb den
Lebensansatz, den Thomas mir an jenem eiskalten Morgen
vor mehr als einem Jahrzehnt erläutert hatte:

*Wie wäre es, wenn jeder Tag unseres Lebens katalogisiert
würde? Unsere Gefühle, die Menschen, mit denen wir zu
tun haben, die Dinge, mit denen wir unsere Zeit verbringen. Und wenn am Ende unseres Lebens ein Museum
eingerichtet würde, in dem genau das zu sehen wäre?*

*Wenn wir 80 Prozent unserer Zeit mit einem Job ver-
brächten, der uns nicht gefällt, dann wären auch 80 Prozent des Museums damit gefüllt.*

*Wenn wir zu 90 Prozent der Menschen, mit denen wir zu
tun haben, freundlich wären, würde das abgebildet. Aber
wenn wir ständig ungehalten und misslaunig wären oder
90 Prozent der Menschen in unserem Umfeld anschreien
würden, könnte man auch das sehen. Wenn wir gerne
draußen in der Natur wären oder gerne das Leben mit
unserem Partner, den Kindern oder Freunden genießen
würden, aber alldem nur zwei Prozent unseres Lebens*

widmen würden, dann wären auch nur zwei Prozent unseres Museums damit gefüllt – so sehr wir uns vielleicht etwas anderes wünschen würden.

Wie wäre es, am Ende unseres Lebens durch das Museum zu gehen? Wie würden wir uns dabei fühlen? Wie würden wir uns fühlen, wenn wir wüssten, dass uns das Museum für immer und ewig so zeigen würde, wie man sich an uns erinnert? Alle Besucher würden uns genau so kennenlernen, wie wir tatsächlich waren. Die Erinnerung an uns würde nicht auf dem Leben basieren, das wir uns erträumt hatten, sondern darauf, wie wir tatsächlich gelebt haben.

Und wie wäre es, wenn der Himmel oder das Jenseits oder wie auch immer wir uns das Leben nach dem Tod vorstellen, so aussähe, dass wir auf ewig Führungen in unserem eigenen Museum machen würden?

Auf einer weiteren Tafel stand:

Dieses Museum ist Thomas Derale gewidmet. Einem Mann, der Museumsträume in uns allen inspiriert hat. Einem Mann, der uns darin unterstützt hat, das Leben so zu leben, wie wir es leben sollten, damit es am Ende dem entspricht, was wir uns selbst unter einem erfolgreichen Leben vorstellen. Thomas bedeutet uns allen viel. Und nicht zuletzt ist er all die Zeit eine großartige Führungspersönlichkeit gewesen. Ihm widmen wir dieses Museum. Es ist das Museum seines Lebens.

Unter dem Text befanden sich Unterschriften. Tausende und Abertausende davon.

Ich war gerührt und sah mich um. Den anderen ging es genauso.

»Lasst die anderen bitte auch herein«, sagte Thomas. »Ich möchte gerne, dass sie sehen, wie viel mir dies hier bedeutet.«

In den nächsten zwei Stunden führten wir Thomas durch das Museum seines Lebens. Jede Station war mit Erinnerungen und Geschichten verknüpft. Bei vielen Fotos und anderen Exponaten warteten einzelne Personen, die Thomas erzählten, welche Bedeutung der jeweilige Moment mit ihm für ihr Leben gehabt hatte. Als ich Thomas an diesem Nachmittag beobachtete, sah ich eine strahlende Seele. Ihm wurde all die Anerkennung zuteil, die er sich in seinem Leben verdient hatte. Noch einmal erkannte er, was sein Leben geprägt hatte. Ich sah einen Menschen im besten Licht. Es wirkte vollkommen.

Das Museum entsprach Thomas' ursprünglicher Idee, denn es zeigte, wie er sein Leben gelebt hatte. Maggie hatte mit Kerry zusammengearbeitet, und ein ganzer Bereich war voll mit Fotos von Orten, die Maggie und Thomas zusammen bereist hatten. Darüber hinaus enthielt er zahlreiche Notizen und Berichte über ihre Erlebnisse.

Andere Räume waren jeweils einem zentralen Lebensmotto gewidmet. Ein Raum trug den Titel »Die Big Five for Life erfüllen«. Familienfotos, Universitätsdiplome, Postkarten von exotischen Plätzen auf aller Welt und Schnappschüsse von Leuten bei der Arbeit illustrierten, welchen Einfluss seine Ideen auf viele Menschen gehabt hatten.

Als wir um eine langgezogene Kurve im Gebäude bogen,

stießen wir auf eine gewölbte Wand voller Babyfotos. »So viele Leute kamen auf dieselbe Idee, dass diese Wand einfach ein Teil des Museums werden musste«, sagte Maggie zu Thomas. »Deine Reisegefährten wollten dich wissen lassen, dass deine Lebensphilosophie, die Unternehmenskultur, die du geschaffen hast, die Flexibilität, die du den Leuten eingeräumt, und die Möglichkeiten, die du ihnen geboten hast, mit dazu beigetragen haben, dass diese kleinen Erdenbürger nun auf der Welt sind.«

Neben den Fotos standen kurze Geschichten, wie Thomas das Leben der Menschen als Eltern beeinflusst hatte. Manche erzählten, dass sie die Möglichkeit gehabt hatten, Zeit mit ihren Babys zu verbringen, als diese zur Welt gekommen waren. Und viele dankten Thomas für seine Inspirationen, die sie nun selbst an ihre Kinder weitergeben konnten.

Ein Raum war voller Notizzettel, die Thomas seinen Mitarbeitern im Laufe der Jahre an ihrem Arbeitsplatz hinterlassen hatte. Es waren Dankesnotizen, Scherze und unterstützende Bemerkungen.

Ein weiterer Bereich war dem Fünf-Säulen-Modell von Thomas gewidmet. Die vielen Unternehmen, mit denen es im Laufe der Jahre zu Kooperationen gekommen war, hatten eine witzige Skulptur angefertigt. Sie stellte Thomas dar, der sich auf einer runden Plattform in einem Liegestuhl zurücklehnte. Die Plattform wurde von fünf Säulen getragen. Am Fuße der Säulen ragten einige modellierte Haifischflossen aus einem angedeuteten Meer heraus. Neben Thomas stand eine riesige Flasche mit »Haischutzmittel«, und auf dem Etikett waren statt den üblichen Inhaltsstoffen die vier Schritte zur Gewinnsteigerung aufgeführt und genau beschrieben.

Auf einem Schild in der Nähe der Skulptur fand sich diese Widmung:

Für einen Mann, der uns unterstützt und in die Lage versetzt hat, unseren eigenen Zweck der Existenz zu erfüllen. Sie waren eine Säule, ein Geschäftspartner und immer ein Freund. Wir hätten viele Wände mit unterschriebenen Verträgen oder mit den Grafiken unserer steigenden Aktienkurse füllen können, die wir Ihren Ideen zu verdanken haben. Oder mit unseren Jahresabschlussberichten, die unsere steigenden Umsätze verzeichnen. Sie kamen nicht zuletzt zustande, weil wir uns stets auf Sie verlassen konnten, sodass auch unsere Kunden sich auf uns verlassen konnten.

Doch wir hatten das Gefühl, dass diese Skulptur besser zeigt, welche Bedeutung Sie tatsächlich für uns hatten. Zu verschiedenen Zeiten und auf sehr unterschiedliche Weise haben Sie uns allen geholfen, uns daran zu erinnern, dass die Arbeit nicht das Mittel zum Zweck sein darf. Wenn wir die richtige Arbeit für uns auswählen, wird sie selbst – zumindest teilweise – zum Zweck und zum Ziel.

Darunter hatten die Inhaber und Angestellten Hunderter Unternehmen unterschrieben, mit denen Thomas zusammengearbeitet hatte.

Die Wände, die die Skulptur umgaben, waren voller E-Mails, Faxe und Briefe, die Kunden geschickt hatten, um sich bei den verschiedenen Unternehmen für ihren Service zu bedanken. Außerdem sah man viele Fotos von lachenden Leuten in ihren Büros und bei Firmenveranstaltungen sowie Auszeichnungen, die einigen Unternehmen für ihre innovativen Ideen, ihren Kundenservice und ihr außerordentlich großes Engagement verliehen worden waren.

35

Nachdem alle das Museum besichtigt und wir anschließend gemeinsam gefeiert hatten, bat Thomas mich, noch einmal mit ihm zum Museum zu gehen. Es war jetzt leer, und die einzige Beleuchtung kam von den Strahlern, die die einzelnen Exponate und Fotowände beleuchteten. Thomas nahm sich Zeit, alles noch einmal in Ruhe anzusehen, die Nachrichten zu lesen und die Emotionen, die darin zum Ausdruck kamen, aufzunehmen. Ich schob ihn von einem Raum zum nächsten. Wir sprachen nicht viel, ich hatte den Eindruck, dass Thomas sich verabschiedete.

In der Hektik des Nachmittags unter all den Menschen hatte ich keine Gelegenheit gehabt, die Inschrift auf der Tafel beim Ausgang zu lesen. Nun blieben wir davor stehen. Auf dem kleinen Schild neben der Tafel, das das Datum von sechs Wochen vorher trug, stand Thomas Derales letzte Botschaft an seine Reisegefährten. Sie lautete: »Das habe ich von euch gelernt.«

Thomas sagte leise: »Als ich erfahren habe, dass ich sterben werde, habe ich dies geschrieben und Kerry gebeten, es all unseren Mitarbeitern zu geben. Ich wollte ihnen etwas hinterlassen. Ich hoffe, es genügt.«

Ich sah zur Tafel und las Wort für Wort.

Erfolgreiche Führungskräfte beginnen etwas, das so stark mit ihrem Zweck der Existenz verknüpft ist, dass die Aufgabe nicht nur eine Chance, sondern eine persönliche Notwendigkeit für sie ist. Sie haben genug Vertrauen in ihre Fähigkeiten, dass sie sich durch den Erfolg ihrer Mitarbeiter bestätigt und nicht etwa bedroht fühlen. Sie fördern andere, anstatt sie unten zu halten, sie inspirieren, anstatt einzuschüchtern, sie lehren, anstatt zu blockieren, und sie rechnen mit Erfolg, anstatt sich vor dem Scheitern zu fürchten.

In jedem Moment unserer Existenz sind wir dazu aufgerufen zu führen, selbst wenn es lediglich dem Zweck dient, uns selbst zu führen.

Als ich mit dem Lesen fertig war, legte ich meine Hand auf Thomas' Schulter. »Du hast es wirklich auf den Punkt gebracht, Thomas, das ist perfekt.«

Thomas griff in seine Hemdtasche und zog einen Stapel seiner persönlichen Notizzettel heraus. »Die Macht der Gewohnheit«, sagte er lächelnd und begann mit einem Stift etwas auf einen der Zettel zu schreiben. Als er fertig war, sah er zur Tafel und ließ seinen Blick dann noch einmal lange durch das Museum schweifen.

»Es ist an der Zeit zu gehen, Joe.«

Bevor ich ihn zum Ausgang schob, klebte er einen Zettel unter die Tafel.

Ich liebe euch alle.
Thomas

Epilog

Fünf Tage, nachdem wir ihn zum Museum seines Lebens gebracht hatten, starb Thomas Derale. Ich verlor mit ihm einen Freund und Mentor und wir alle verloren die großartigste Führungspersönlichkeit der Welt.

In den darauffolgenden Tagen war ich äußerst deprimiert. Ich wusste, dass das eigentlich nicht in Thomas' Sinne war. Er hätte es nicht gewollt. Aber ich vermisste ihn so sehr.

Fast zwei Monate nach seinem Tod bekam ich Post, nämlich eine Nachricht von Maggie sowie ein kleines Päckchen.

Lieber Joe,
kurz vor seinem Tod musste ich Thomas versprechen, dass ich dir dies schicke. Er hat unermüdlich daran gearbeitet, nachdem er die Diagnose bekommen hatte – sogar noch in der Zeit, als du bei uns warst. Ich weiß nicht warum, aber aus irgendeinem Grund wollte er es dir auf diesem Wege zukommen lassen. Ich habe ihm in den Tagen vor seinem Tod bei der Fertigstellung geholfen. Du warst ein wirklicher Freund für ihn, Joe, und er hat eure Freundschaft ungemein geschätzt.
Alles Liebe
Maggie

An Maggies Notiz war mit einem Klebeband ein Briefumschlag befestigt. Ich zog die Karte darin heraus.

Lieber Joe,
bei unseren vielen Gesprächen hast du mich oft nach meiner Geschichte gefragt. Wie ich zu dem Menschen wurde, der ich heute bin. Was mein Leben geprägt hat. Wie alles begann. Trotz all unserer Gespräche hatte ich nie die Gelegenheit, dir alle Details zu erzählen. Wir hatten uns immer so viele andere Dinge zu erzählen, so viel zum Lachen und damit zu tun, Träume wahr werden zu lassen…

Ich möchte mich für mein Versäumnis entschuldigen und hoffe, dass dies genügt. Leb wohl, Joe, und danke. Neben meiner Liebe zu Maggie gehört unsere Freundschaft zu den Dingen, die mir auf meiner Reise am meisten bedeutet haben.
Dein Freund und Reisegefährte
Thomas

Ich wickelte das Päckchen aus und musste sofort schmunzeln. Es war ein Buch, und der Autor war Thomas Derale.

Ich lehnte mich in meinem Stuhl zurück und begann zu lesen.

Thomas Derales
Tipps zum Mitnehmen

1. Erfolgreiche Führungskräfte beginnen etwas, das so stark mit ihrem ZDE verknüpft ist, dass die Aufgabe nicht nur eine Chance, sondern eine persönliche Notwendigkeit für sie ist. Sie haben genug Vertrauen in ihre Fähigkeiten, dass sie sich durch den Erfolg ihrer Mitarbeiter bestätigt und nicht etwa bedroht fühlen. Sie fördern andere, anstatt sie unten zu halten, sie inspirieren, anstatt einzuschüchtern, sie lehren, anstatt zu blockieren, und sie rechnen mit Erfolg, anstatt sich vor dem Scheitern zu fürchten. In jedem Moment unserer Existenz sind wir dazu aufgerufen zu führen, selbst wenn es lediglich dem Zweck dient, uns selbst zu führen.

2. Nichts behindert ein Projekt so sehr wie jemand, der entweder am falschen Platz ist oder notorisch unzufrieden ist. Auf alle anderen wirkt das demoralisierend und es kostet Zeit und Energie. Man möchte gerne gute Leute im Team haben. Leute, die sagen: »Ich weiß, was wir alle versuchen, und ich glaube, es gibt die und die Möglichkeit, das Ziel zu erreichen.« Solche Aussagen zeigen einem, dass das Team auf dem richtigen Weg ist.

Wenn jemand aber ständig sagt »Wir schaffen das nie« oder sich nicht wirklich für seine Arbeit oder für das Team interessiert, behindert er alle anderen. Und er behindert auch sich selbst. Man muss solche Leute aus dem Team herausnehmen, sonst zerstören sie es.

3. Angst führt zum Scheitern, und Furchtlosigkeit führt zum Erfolg.

4. Menschen können Lösungen für fast alle Probleme finden, sie müssen nur die Spielregeln kennen. Allzu häufig bekommt jemand eine Aufgabe. Nach einigen Wochen präsentiert er einem Vorgesetzten seine Arbeit, nur um zu erfahren, dass er etwas Grundlegendes verändern muss, was er aufgrund fehlender Informationen nicht wissen konnte. Das ist demoralisierend und teuer, wenn man bedenkt, wie viel Zeit und Mühe es kostet und wie wenig produktiv diese Vorgehensweise ist.

5. Nicht alle Kunden haben die gleichen Wünsche. Anstatt also nur ein bestimmtes Produkt oder eine bestimmte Dienstleistung anzubieten und Kunden an die Konkurrenz zu verlieren, sollte man sich selbst Konkurrenz machen. Schlachten Sie Ihr eigenes Geschäft aus.

6. Fähige Leute brauchen niemanden, der ihr Verhalten überwacht. Sie arbeiten nicht deshalb so gut, weil sie kontrolliert werden, sondern weil sie sich mit ihrer Arbeit identifizieren und sie gerne machen.

7. Alles in meinen Unternehmen hat mit dem Zweck der Existenz und den Big Five for Life der Menschen zu tun, die dort arbeiten. Durch unsere Tätigkeit sorgen wir dafür, dass unser Leben ein Erfolg ist – dass es unserer Definition von Erfolg entspricht. Ich möchte keine Mitarbeiter, die ihren Job *mögen*. Ich möchte Leute, die in ihrer Arbeit Erfüllung finden. Wenn man das erreicht, bekommen die Leute kein Burn-out-Syndrom. Sie sind voller Energie.

8. Es ist falsch anzunehmen, dass Gewinne und Zufriedenheit der Leute sich umgekehrt proportional zueinander verhalten würden. Zu viele Führungskräfte sind der Meinung, je stärker man die Leute antreibt, desto mehr würden sie sich einsetzen und desto höher wären daher die Gewinne. Umgekehrt folgt für sie daraus: Je zufriedener die Angestellten sind, desto weniger werden sie wohl angetrieben und desto niedriger sind daher auch die Gewinne. Aber die Wahrheit ist: Wenn man die Leute so stark zur Arbeit antreiben muss, dann hat man entweder die falschen Leute oder aber die richtigen Leute machen den falschen Job.

9. Wenn Unternehmen
a) Einstellungen nicht auf der Basis vornahmen, ob jemand dem Eignungsprofil für einen Job entsprach, sondern danach, wie gut jemand zu der Unternehmenskultur passte,
b) Mitarbeiter nicht ständig kontrollierten, sondern ihnen ein selbstständiges Arbeiten ermöglichten und es ihnen überließen, sich selbst zu managen, und
c) die Angestellten nicht über finanzielle Anreize motivierten, sondern über ein »familienähnliches Umfeld«,

wenn also diese Unternehmen mit anderen verglichen wurden, die in diesen drei Punkten genau das Gegenteil taten, dann stellte sich heraus, dass Erstere um 22 Prozent höhere Umsatzsteigerungen, um 23 Prozent höhere Gewinnzuwächse und eine um 67 Prozent niedrigere Fluktuationsrate bei ihren Angestellten hatten.

10. Es gibt zwei wesentliche Faktoren, die mit den Menschen zu tun haben und sich erheblich auf den Gewinn auswirken. Der erste ist die Produktivität. Hier lautet die Frage: Wie effizient sind die Menschen? Der zweite ist die Fluktuation. Wie oft kündigen die Leute und wie oft müssen Stellen daher neu besetzt werden?

11. Wenn alle als ein Team auf einer gemeinsamen Reise zusammenarbeiten und eins der gemeinsamen Ziele darin besteht, den Gewinn des Unternehmens zu maximieren, dann ist tatsächlich jeder mit dafür verantwortlich.

12. Als Geschäftsführer muss man ausrechnen können, ob $K + A < O$ ist. K sind die Kosten, A ist der Aufwand und O ist der Output. Die meisten Menschen bleiben beim K und A hängen und sehen sich das O nie an. Diese Menschen leiden unter Linksseititis – da sie sich nur auf die linke Seite der Gleichung konzentrieren.

13. Ohne Gewinne kann ein Unternehmen nicht funktionieren. Wenn das Unternehmen nicht funktioniert, kann der Lohn beziehungsweise das Gehalt nicht ausbezahlt werden. Und dann werden die Menschen nicht lange bei dem Unternehmen bleiben können, egal, wie erfüllt sie dort auch sein mögen. Sehr bald wird es keine Produkte, also auch keine Kunden und kein Unternehmen mehr geben. Jeder verliert in dieser Situation. Aber wenn das Unternehmen rentabel wirtschaftet, können die Menschen dafür bezahlt werden, dass sie erfüllende Tätigkeiten verrichten, die Kunden sind glücklich und jeder hat etwas davon.

14. Wenn man selbst bei den Sachen, die einem nicht wichtig sind, Erfolg haben kann, dann müssen die Leute umso erfolgreicher sein, wenn etwas sie wirklich begeistert. Und wenn sie extrem erfolgreich sind, wird auch das Unternehmen auf der ganzen Linie Erfolg haben und große Gewinne erwirtschaften.

Tabelle zur Einschätzung der Produktivität

Füllen Sie die folgende Tabelle aus. Die Skala reicht von eins bis zehn, und zehn ist die Höchstpunktzahl. Bei der ersten Frage würde ein Punkt bedeuten, dass die Leute überhaupt nicht begeistert sind, zehn würden auf extrem hohe Motivation hinweisen. Wenn Sie alle Fragen beantwortet haben, zählen Sie die Punkte zusammen und multiplizieren Sie diese mit zwei. So erhalten Sie eine Einschätzung der Produktivität auf einer Skala von 1 bis 100.

Produktivitätsfrage	Bewertungsskala: 1–10 (1 = niedrige Produktivität; 10 = hohe Produktivität)
1. Die Menschen sind begeistert, wenn sie montagmorgens an ihren Arbeitsplatz kommen.	
2. Die Menschen erledigen ihre Aufgaben, ohne von jemandem kontrolliert zu werden. Sie versuchen nicht, etwas anderes zu tun als das, was sie tun sollen (sie führen zum Beispiel keine ausführlichen Privatgespräche, machen keine übermäßig langen Mittagspausen, unternehmen keine ausgedehnten Spaziergänge im Firmengebäude …).	
3. Die Menschen kennen den ZDE des Unternehmens (beziehungsweise ihrer Abteilung oder ihres Unternehmenszweigs – je nachdem, welche Position sie innehaben).	
4. Die Menschen wissen, auf welche Weise ihre Tätigkeit dazu beiträgt, den ZDE des Unternehmens zu erfüllen.	
5. Die Menschen erfüllen ihren eigenen ZDE mit der Tätigkeit, für die sie bezahlt werden. (Wenn Sie der Meinung sind, dass die Menschen ihren eigenen ZDE nicht kennen, vergeben Sie bei dieser Antwort einen Punkt.)	
Gesamtpunktzahl	

Die aufsteigende Lebenskurve

Die meisten Menschen gehen folgendermaßen durchs Leben: Im Laufe der Zeit erleben sie Höhen und Tiefen. Aber meistens erreichen ihre Höhen ebenso wie ihre Tiefen einen ähnlichen Ausschlag. Die Menschen pendeln zwischen diesen beiden Punkten hin und her.

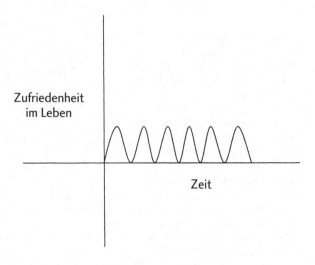

Das Geheimnis des Lebens besteht darin, eine Sinuskurve zu haben, die sich nicht ständig gleichförmig zwischen diesen beiden Polen bewegt, sondern im Laufe der Zeit ansteigt. Sie wird als aufsteigende Lebenskurve bezeichnet und sieht so aus wie die Kurve im Diagramm unten. Diese Menschen haben natürlich auch Tiefpunkte, das ist unvermeidlich – selbst wenn man sich auf der richtigen Reise befindet und sich in die Richtung bewegt, in die man gehen will. Dennoch sieht es im Leben dieser Menschen anders aus. Sie pendeln im Laufe der Zeit nicht zwischen zwei Hoch- und Tiefpunkten hin und her, sondern erreichen ständig neue Höhen. Auf einer aufsteigenden Lebenskurve liegen die Tiefs ab einem bestimmten Moment an einem höheren Punkt als früher die Hochs. Je mehr Zeit man am Tag nämlich mit etwas verbringt, das den eigenen Zweck der Existenz erfüllt, und je mehr Zeit man seinen Big Five for Life widmet, desto stärker steigt die Lebenskurve an.

Wenn man eine erfolgreiche Führungskraft sein möchte, muss man lediglich dieses Prinzip kennen und es dann anwenden.

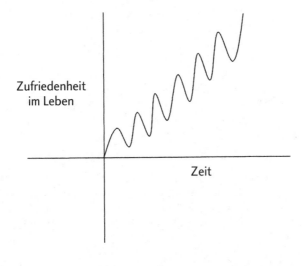

Zufriedenheit
im Leben

Zeit

Es gibt viele Möglichkeiten, wie Sie diese Reise fortsetzen können. Wenn Sie weitere Informationen zu diesem Buch sowie über Workshops, Seminare und Vorträge von John Strelecky in Deutschland, Österreich und der Schweiz erhalten möchten, besuchen Sie bitte die Internetseite

www.johnstrelecky.de

Dank

Ein herzliches Dankeschön geht an mehr als hundert Führungskräfte, deren Ansichten und Einsichten zum Entstehen dieser Geschichte beigetragen haben. Sie leben auf vier Kontinenten und sind in ganz unterschiedlichen Branchen tätig, was zeigt, dass der Wunsch, eine gute Führungskraft zu sein, geradezu universell ist.

Im Besonderen möchte ich folgenden Führungskräften für ihr Engagement und ihre Zeit danken: Matt Blauvelt, Brad Borchers, Ken Mayer, Rachel Hutter, Gabe Esparza, Tricia Crisafulli, Alan Jaquith, Arnie Follendorf, Avril Reed, Kelly Sabourin, Barbara Harrington-Marut, Bridgett Arnold, Chris Ockwell, Karen A. Serunian, Dave Powelson, Douglas Machiridza, Pernille Fletcher, Frank LaTorre, Gid Herman, Glenn Turner, Michelle Boulton, Johnny Valentin, Jane Hall, Jim Compton, Joachim Röttinger, Kelly Moore, Kevin Sabourin, Kevin Naya, Kevin W. McCarthy, Randolph Ching, Kristen Hallett Rzasa, Marc Manierii, Kathryn MacVicker, Michael Rosen, Michele McAfee Glowth, Jeanette Cake, Norman Bryan, Nousha Behbahanian, Ingo B. Gross, David Spencer, Bob Steiner, Suzanne Le Breton, Terry L. Brock, Vanessa Mejia, Andrea Susanne Luise Reutner, Denise McLean, Elizabeth Diaz, Jaime Shearer, Jan Mossfeldt, Paul Dillon, Joe Hinkle, Krissy Morency, Kevin O. Sullivan, Kristi

Karst Gomen, Linda Brown, Matt Ficarelli, Dr. Matthew Norton, Michael C. Zari, Michelle Lamont, Bob Warren, Tanja Sölkner, Kevin Boulton, Michael Tellone, David Wunderlin, Dave Fletcher, Sue Wilson, Bob Clark, Dawn Werner, Barb McNaughton, Barbara Pickren, Mark Dunbar.

Ein besonderer Dank gilt auch meinem Lektor Phil Revzin für seine Anregungen und seine Geduld, Doris Michaels und Delia Berrigan Fakis von der DSM Literary Agency für ihren Beistand und meiner Frau Xin, die sofort davon überzeugt war, dass diese Story es wert ist, erzählt zu werden.

Das Abenteuer geht weiter …

MEHR VON
JOHN STRELECKY

Leseprobe aus
›Das Leben gestalten mit den Big Five for Life.
Das Abenteuer geht weiter‹

Aus dem Englischen von Bettina Lemke, 304 Seiten, € 9,90, dtv 34926

Denkanstöße für alle,
die nach einem erfüllten Leben streben.

1

Joe ging zur linken Seite der Bühne und machte eine kleine Pause. Er hatte gerade eine eindrucksvolle Geschichte erzählt und ließ die Botschaft nun wirken. »Es ist an der Zeit, zum Ende zu kommen«, dachte er.

Er sah nach vorne zum Publikum. »Ich weiß zwar nicht, was auf jeder einzelnen Big-Five-Liste steht, aber eines weiß ich gewiss: Wenn Sie Schritt für Schritt vorgehen, *Moment* für *Moment* und sich stets auf die Richtung konzentrieren, in die Sie sich aus tiefstem Herzen bewegen möchten, werden wunderbare Dinge passieren. Das verspreche ich Ihnen.

Vielen Dank, meine Damen und Herren. Es war mir eine Ehre, heute hier bei Ihnen zu sein.«

Fast augenblicklich setzte der Applaus ein. Die Leute begannen sich von den Sitzen zu erheben. Joe nickte dem Publikum zu und legte die rechte Hand auf sein Herz. Mit dieser Geste zeigte er dem Publikum seine Wertschätzung und dankte ihm zugleich für die stehenden Ovationen, die er nun bekam.

Seitlich der Bühne stand eine Frau hinter einem Vorhang und beobachtete Joe intensiv. Sie hatte ihn und einen Teil des Publikums im Blick, war selbst aber nicht zu sehen. Sie hielt nach einem Zeichen, einem Hinweis Ausschau. Nach etwas, das ihr signalisierte, dass es ihm gut ging. Oder vielleicht auch *nicht*.

Der Vortrag war großartig gewesen. Joe hatte das Publikum auf eine wunderbare emotionale Achterbahnfahrt mitgenommen. Die Leute hatten gelacht, geweint und dann gespürt, wie ihre Herzen von der inspirierenden Geschichte am Ende beflügelt wurden. Dank der Geschichte und vor allem der Art und Weise, wie Joe sie erzählt hatte, kamen sie in Verbindung mit ihrem eigenen Potenzial für wahre Größe.

Dem Applaus nach zu urteilen schien alles in Ordnung zu sein. Sogar viel *besser* als in Ordnung. Allerdings ließ sie sich dadurch nicht täuschen. Joe war ein großartiger Redner. Und diesen Vortrag hatte er bereits so häufig gehalten, dass er jedes Wort auswendig kannte.

Als der Applaus abebbte, stellten Mitglieder des Organisationsteams Mikrofone in die Gänge, damit Leute aus dem Publikum Fragen stellen konnten. Die Frau sah, wie jemand an ein Mikrofon trat.

»Warum sind es die Big Five und nicht zehn oder fünfzig oder hundert?«

Joe erwiderte lächelnd: »Aus zwei Gründen. Erstens …«

Als er mit der Antwort fertig war, ging eine weitere Person an ein Mikrofon.

»Was tun Sie, wenn Sie einen Ihrer Big Five for Life verwirklicht haben? Fügen Sie einen weiteren hinzu oder warten Sie, bis Sie die anderen vier umgesetzt haben?«

Solche Fragen waren Joe bereits häufig gestellt worden. Dies war einer der großartigen Aspekte der Big Five for Life. Das Prinzip war so einfach zu verstehen und ließ sich im Leben so gut umsetzen, dass die Menschen offenbar nur ein paar zentrale Fragen dazu hatten.

»Es hängt von der Person ab«, antwortete Joe. »Bei manchen Menschen …«

Als Joe mit seiner Erläuterung fertig war, ergriff der Moderator der Veranstaltung das Wort. »Wir haben nun noch Zeit für eine weitere Frage.«

Bisher hatte die Frau, die Joe beobachtete, nichts Unge-wöhnliches erkennen können. Sie sah, wie ein Mann aus dem Publikum auf eins der Mikrofone zusteuerte, um die letzte Frage an diesem Abend zu stellen.

»Wie seltsam das Leben doch ist«, dachte sie. Erst vor gut einem Jahr war ihr Leben völlig auf den Kopf gestellt worden. Damals hatten die Ärzte bei ihr angerufen und ihr unterbrei-tet, dass der Mensch, den sie über alles in der Welt liebte, bald sterben würde.

Die Erinnerung daran stimmte sie traurig. »Ich vermisse dich, Thomas«, sagte sie im Stillen.

Heute war sie zum Teil seinetwegen hier. Thomas war Joes Mentor gewesen. Und auch sein bester Freund. Zu dritt hat-ten sie viele gemeinsame Abenteuer erlebt. Sie und Joe waren ebenfalls befreundet, doch Thomas und Joe hatten eine beson-dere Verbindung gehabt. Sie waren beste Freunde und zugleich wie Vater und Sohn, Mentor und Schützling gewesen …

Auf einer freundschaftlichen Ebene hatte ihre Beziehung dem entsprochen, wie sie und Thomas ihre Partnerschaft leb-ten.

Als Thomas starb, war es für alle Menschen in seinem Um-feld schwer gewesen. Er war erst 55 Jahre alt, und die Krank-heit hatte ihn schnell und brutal heimgesucht. Einige Monate nach der Diagnose hatte sein Leben bereits geendet.

Joe war in dieser schwierigen Zeit und auch am Schluss da gewesen. Mittlerweile waren sieben Monate vergangen. Und

Tag für Tag wurde es leichter für sie. Es war bei Weitem noch nicht leicht. Aber es wurde leichter.

Der Anruf einer langjährigen Freundin hatte sie an diesen Ort geführt. Kerry Dobsin war die Geschäftsführerin eines von Thomas' Unternehmen, das zu Derale Enterprises gehörte. Sie kannte Kerry schon seit langer Zeit, und zwischen ihnen hatte sich eine enge Freundschaft entwickelt.

Kerry mochte Joe. Ihre Freundschaft war nicht so tief wie die der beiden Frauen, aber sie empfand große Wertschätzung für Joe und was er für Derale Enterprises tat. Aufgrund dieser Achtung hatte Kerry angerufen.

»Es ist nichts Konkretes«, hatte Kerry während des Telefonats gesagt. »Er ist so inspirierend wie immer. Er ist lustig und charmant und hat eine Verbindung zu den Leuten, so wie sonst auch.«

»Aber?«

»Aber irgendetwas ist anders.«

Die Frau kehrte mit ihren Gedanken wieder in die Gegenwart zurück. Der Mann aus dem Publikum hatte das Mikrofon nun erreicht. »Hallo Joe. Vielen Dank für Ihren inspirierenden Vortrag.«

Joe bedankte sich bei dem Mann, indem er ihm freundlich zunickte.

»Meine Frage bezieht sich eigentlich nicht auf den Vortrag, sondern auf Thomas Derale. Ich frage mich einfach, wer ihn bei Derale Enterprises ersetzen wird?«

Sie nahm es sofort wahr. Ein leidvoller Ausdruck huschte über Joes Gesicht. Einen Moment später hatte er ihn schon mit einem Lächeln verdrängt. Aber sie hatte es gesehen. Der intensive Schmerz war immer noch da.

Joe hustete in seine Hand hinein. Eine unbewusste Verzögerungstaktik. »Vielleicht macht er es auch bewusst«, dachte die Frau.

»Danke für Ihre Frage«, sagte Joe. Er zögerte. Einen Moment lang wirkte sein Gesicht ausdruckslos. »Bei Derale Enterprises sind lauter talentierte, engagierte Leute«, antwortete er dann. »Das Unternehmen wird es noch lange Zeit geben.«

Joe warf einen Blick auf seine Uhr. »Nochmals vielen Dank, dass Sie sich alle dafür entschieden haben, heute hier zu sein. Es war eine wunderbare Veranstaltung.« Seine Stimme hatte wieder ihre normale Energie erreicht. »Ich wünsche jedem von Ihnen größtmöglichen Erfolg bei der Verwirklichung seiner eigenen Big Five for Life sowie bei der Unterstützung anderer, die ihre Big Five leben möchten.«

Die Leute applaudierten laut und erhoben sich abermals von ihren Plätzen. Die vorübergehend schwächer werdende Energie bei der letzten Frage hatte sich nicht auf den Zuschauerraum übertragen und die Wirkung von Joes Vortrag nicht geschmälert. Wahrscheinlich hatte niemand im Publikum es bemerkt. Aber ihr war es aufgefallen.

Joe winkte dem Publikum zu, dann drehte er sich um und ging auf die Seitenbühne hinter den Kulissen zu. Sobald er sich vom Publikum abwandte, verschwand das Lächeln aus seinem Gesicht.

Sie nickte sich selbst bestätigend zu. Kerry hatte recht gehabt.

Obwohl seine Augen geöffnet waren und er scheinbar nach vorne blickte, stieß Joe fast mit ihr zusammen, als er auf den Backstagebereich zuging.

»Das war eine tolle Präsentation, Joe«, sagte sie, als er sich direkt vor ihr befand.

Joe blieb abrupt stehen. Wo auch immer er mit seinen Gedanken gerade gewesen sein mochte, nun sammelte er sich rasch und richtete seinen Blick auf sie.

»Maggie«, sagte er warmherzig und lächelte. Er breitete die Arme aus und umarmte sie. »Was für eine schöne Überraschung.«

Sie erwiderte seine Umarmung.

»Ich habe dich länger nicht gesehen, Joe. Wie geht es dir?«, fragte sie, als sie sich voneinander lösten.

Nur für eine Sekunde verschwand sein Lächeln abermals. Sie bemerkte es, obwohl er es rasch wieder aufsetzte.

»Gut«, antwortete er und zuckte mit den Schultern. »Ich hatte wirklich viel zu tun.« Zögernd fügte er hinzu: »Es tut mir leid, aber ich war in den letzten Monaten viel unterwegs. Ich bin einfach …« Seine Stimme verlor sich.

»Ist schon in Ordnung«, erwiderte sie. Es war tatsächlich in Ordnung. Maggie war 15 Jahre älter als Joe. Diese zusätzlichen Jahre hatten ihr eine Lebenserfahrung vermittelt, die ihr verstehen half, dass die Menschen auf unterschiedliche Weise trauern.

Maggie hatte engen Kontakt mit ihren Freunden gehalten. Die Gemeinschaft mit ihnen hatte ihr etwas Trost geschenkt. Sie hatte sie daran erinnert, dass sie vieles besaß, wofür es sich zu leben lohnte, obwohl Thomas nicht mehr da war. Joe hatte sich dagegen ganz anders verhalten. Auf der Bühne war er brillant. Im Büro war er engagiert und eloquent. Aber davon abgesehen hatte er sich für die Isolation entschieden.

»Ich möchte dich um einen Gefallen bitten, Joe.« Maggie hatte sich ihre Worte gut überlegt. Joe würde seinen Schmerz nicht zugeben, das wusste sie. Und er würde nicht um Hilfe bitten. Aber er war stets bereit, anderen zu helfen. Wenn sie ihn um Unterstützung bat … dann würde sie ihm auf diesem Weg vielleicht helfen können.

»Natürlich Maggie. Gerne. Worum handelt sich's denn?«

»Also, es geht um diese Firmenprofile, die du erstellst. Du triffst dich doch manchmal mit herausragenden Führungspersönlichkeiten und schreibst dann einen Artikel über die Unternehmenskultur?«

Joe nickte. Er machte so etwas zwar nicht oft, aber wenn er von einem wirklich faszinierenden Unternehmen erfuhr, widmete er ihm seine Zeit. So erhielt er wertvolle Informationen, die er an die verschiedenen Unternehmen weiterleiten konnte, aus denen sich Derale Enterprises zusammensetzte. Zudem kam er so an interessante Geschichten für den großen Leadership-Kongress, den er jedes Jahr veranstaltete. Dabei lud Derale Enterprises seine Zulieferer, Kunden und Partner zu einem Austausch über neue Ideen ein.

»Ich würde dich bitten, darüber nachzudenken, ob du ein

Profil für einen Freund von mir erstellen könntest«, sagte Maggie. »Er lebt oben in der Nähe von Montreal, in Kanada. Sein Name ist Jacques Guénette. Er leitet ein Unternehmen namens DLGL.«

»O.k., ich sehe es mir an.« Joe hielt einen Moment inne. »Gibt es einen speziellen Grund, warum ich es gerade jetzt machen soll?«

Maggie nickte. »Nun, der erste Grund ist, dass Jacques beschlossen hat, in Teilruhestand zu gehen. Ich habe gestern am Telefon mit ihm über dies und das geplaudert, und da hat er es am Rande erwähnt. Deshalb wird er im Unternehmen seltener zur Verfügung stehen. Genauso wichtig für dich ist allerdings, dass wir mittlerweile Ende Juni haben. Das heißt, die Temperaturen in Montreal sind wahrscheinlich endlich warm genug, dass du in Erwägung ziehen könntest, dorthin zu fahren.«

Joe schmunzelte. Seine Freunde wussten, welche Abneigung er gegen kaltes Wetter hatte. »Und in ein paar Monaten wird es so kalt sein, dass ich nicht mehr hinfahren möchte«, fügte er hinzu.

Maggie schmunzelte ebenfalls. »*Genauso ist es*«, sagte sie mit Nachdruck.

»Gerne«, erwiderte Joe. »Wenn du mir seine Kontaktdaten schickst, setze ich mich mit ihm in Verbindung. Ich bin die nächste Zeit zwar ziemlich ausgebucht, aber wahrscheinlich kann ich Mitte Juli zu ihm fahren, wenn er sich das einrichten kann.«

»Großartig.« Maggie breitete ihre Arme aus, umarmte Joe und küsste ihn auf die Wange.

»Er ist ein toller Mensch«, sagte sie, als sie sich voneinander lösten. »Ihr werdet euch mögen.«

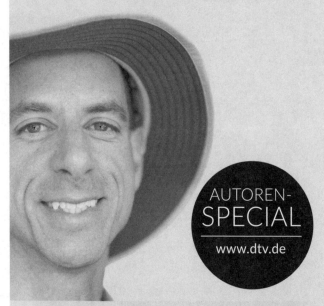

Besuchen Sie unser

GESAMT-
VERZEICHNIS

www.dtv.de/gesamtverzeichnis

www.dtv.de **dtv**